C0-AKV-849

LES GRANDS **PEINTRES**

LES GRANDS **PEINTRES**

Idée et conception de l'œuvre : Editorial Sol 90, S.L.
Coordination : Joan Ricart
Recherche et textes : Juan Contreras
Conception : Sergio Juan
Mise en page : Susanna Ribot, Clara Miralles, Francesc Pallarés
Conseil : Teresa Camps
Correction : Vicente Villacampa
Production éditoriale : Montse Martínez
Photographies : AFP/Contacto, Aisa-Archivo Iconográfico, Akg-Images/Album, Corbis/Cover, Erich Lessing/Album, Gamma/Contacto, Hachette/Contacto, Magnum/Contacto, Oronoz/Cover, Photos12/Contacto

Pour la version française
Coordination : Rosa Salvia
Traduction : Tradym
Lecture - Correction : Laetitia Belasco

ISBN : 978-84-9820-650-0
Dépôt légal : B-26.210/2007
Achevé d'imprimer à Barcelone

Rembrandt

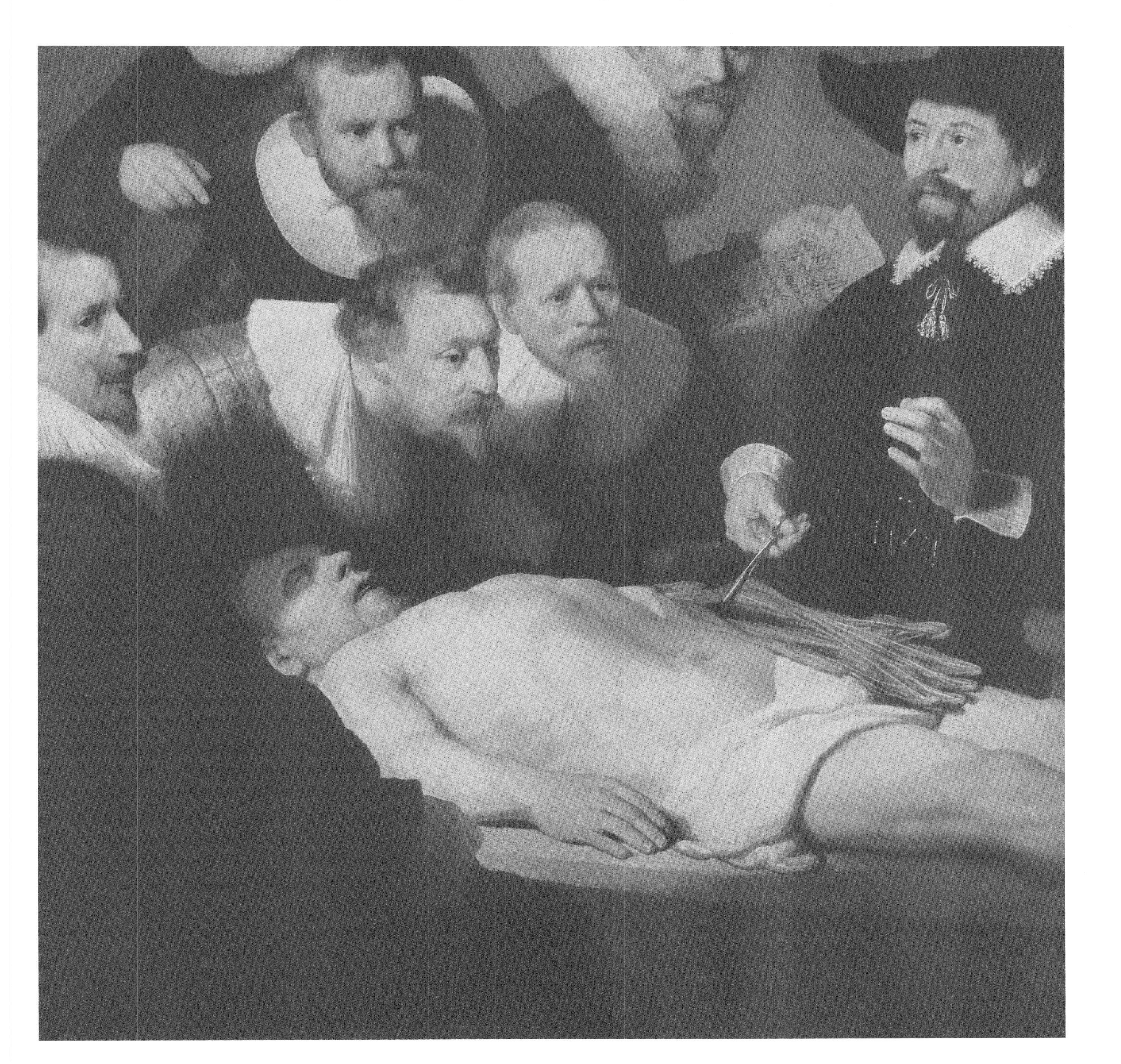

Sommaire

Fils de meunier

Bien peu d'œuvres conçues à l'époque moderne ont vu leur paternité artistique contestée comme l'œuvre de Rembrandt. En effet, près de la moitié des 1 575 dessins catalogués en 1973 ne sont plus considérés aujourd'hui comme production de l'artiste hollandais. Il en est de même pour 150 des 400 peintures que les spécialistes lui attribuaient. Toutefois, personne ne met en doute la grande capacité de travail de Rembrandt et surtout son génie.

Passionné par son époque, Rembrandt n'hésita pas à montrer son vrai visage à travers ses nombreux autoportraits qui témoignent de la valeur qu'il attachait à une vie intense. Avec tout autant d'enthousiasme, il prit comme modèles les êtres qui lui étaient les plus chers, notamment ses parents ou sa tendre compagne Saskia. Il en peignait non seulement le portrait mais faisait également d'eux des personnages idéalisés tenant les rôles principaux des scènes bibliques et mythologiques exigées par le métier de peintre.

En ce sens, on ne peut pas parler d'une évolution progressive de Rembrandt en tant que parcours depuis l'approximatif jusqu'à la perfection, mais plutôt d'une recherche constante au cours de laquelle chaque œuvre constitua une découverte unique, et de ce fait, extraordinaire. Doté d'une grande sensibilité et intelligence, Rembrandt ne s'accorda aucun répit quant au travail, à l'exigence technique et à l'expérimentation de nouvelles ressources, surtout concernant le traitement de la lumière, l'art du clair-obscur et le façonnage des volumes et des formes.

Ses toiles d'inspiration religieuse ou mythologique permirent d'inventer l'histoire de la bourgeoisie hollandaise dont le passé se limitait à une rupture avec l'Église romaine, et qui s'était consacrée entièrement au contrôle du commerce mondial et à supplanter les lourdes caravelles hispano-portugaises par leur frégates plus rapides et mieux armées. Rembrandt n'en oublia pas pour autant ses voisins, depuis les grands seigneurs d'Amsterdam en passant pas les membres des guildes et les habitants du quartier juif. Plus d'une fois, et certainement non sans surprise, ses voisins purent se reconnaître au travers de ses toiles comme des dieux de l'Olympe ou les protagonistes de l'Ancien Testament. L'humanisme de Rembrandt, à la fois conceptuel et délicat, s'est nourrit à tout moment de l'humanité la plus banale et la plus immédiate.

Même à l'apogée de sa gloire, il n'oublia jamais qu'il était fils de meunier. Il ne l'oublia pas non plus, évidemment, lorsque ceux qui l'avaient toujours acclamé, une fois devenus simples créanciers, lui tournèrent le dos. Il sut à tout moment que les ailes du moulin restent droites même quand tourne le vent.

Le peintre et son époque

1633 Après la publication de son *Dialogue sur les deux grands systèmes du monde*, l'Église catholique oblige Galilée à renier ses théories héliocentristes.

1606-1631

De Leyde à Amsterdam
Né le 15 juillet 1606 à Leyde, il étudie la peinture auprès de l'« italianiste » Jacob Isacszoon van Swanenburgh. Il reçoit aussi des cours dans l'atelier du peintre Pieterszoon Lastman.

1621 L'Espagne et les Pays-Bas signent une trêve de douze ans qui débouchera à nouveau sur une guerre. L'Espagne bloque les intérêts hollandais dans les ports européens. La Hollande s'impose grâce à sa supériorité maritime.

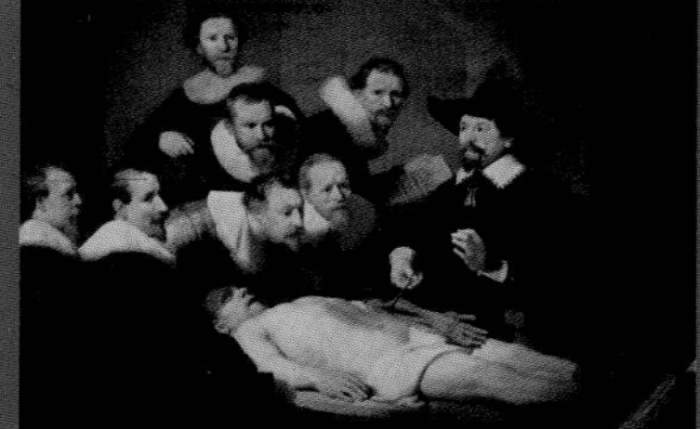

1632-1633

Renom européen
Lorsque son nom commence à résonner dans le monde artistique, Rembrandt réalise l'un de ses rêves : s'installer à Amsterdam. C'est dans cette ville, capitale de l'empire hollandais, que son nom atteint sa dimension européenne. Il peint la *Leçon d'anatomie du docteur Tulp*.

1634-1636

Reconnaissance sociale
Le 22 juillet 1634, Rembrandt épouse Saskia van Uylenburgh, une jeune fille de la haute bourgeoisie hollandaise. Elle est sa muse et la clé de son ascension sociale. Il peint le célèbre tableau Le *Sacrifice d'Isaac*.

1635 Fondation de l'Académie Française pour le développement des arts et des sciences, sur l'initiative de Louis XIII (ci-dessus). D'autres pays européens suivent l'exemple.

1637-1639

La marque de Titien
Au cours d'enchères de peintures italiennes, Rembrandt acquiert un tableau de Titien qu'il étudie attentivement. Son influence se fera sentir surtout dans les autoportraits et dans le traitement du clair-obscur, une technique que Rembrandt porte à son plus haut niveau de perfection. C'est pour le peintre et Saskia une période de grand bonheur et de prospérité.

1641 Descartes publie ses *Méditations Métaphysiques* et sa philosophie imprègne la vie culturelle des Pays-Bas.

1660 Mort de Vélasquez peu de temps après avoir organisé, comme maréchal des logis, les noces de Louis XIV et de Marie Thérèse d'Autriche.

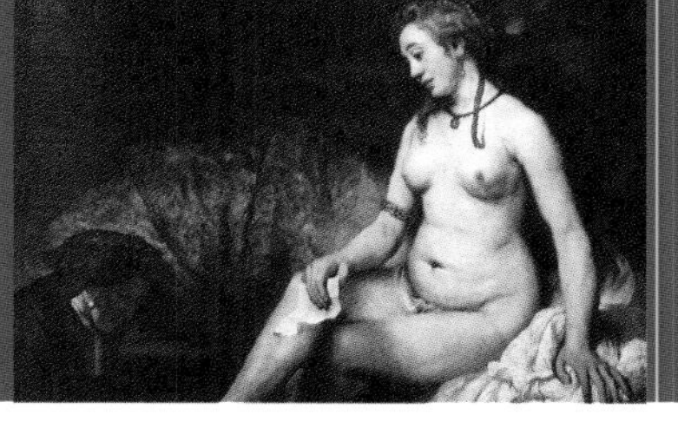

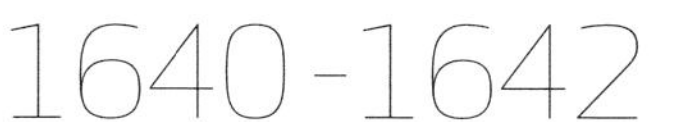

1640-1642

Mort de Saskia
Rembrandt est un peintre et lithographe reconnu dans les plus importantes capitales européennes. Mais le 14 juin 1642, il reçoit un coup terrible, celui du décès de son épouse et modèle favori. La mort de Saskia marque un tournant. Rembrandt peint son célèbre tableau *La Ronde de nuit*.

1643-1648

Premier conflit légal
Rembrandt engage Geertje Dircks pour s'occuper de son fils Titus. Elle le dénonce pour « manquement conjugal ». Durant le procès, Rembrandt rencontre Hendrickje, sa deuxième muse. Il peint *Le Christ et la femme adultère*.

1647 Les Cosaques se soulèvent contre les Polonais et persécutent les Juifs (ci-contre, Portrait d'un rabbin) dont beaucoup exilent aux Pays-Bas.

1648 Une fois signés les Traités de Westphalie, la Guerre de Trente Ans prend fin et l'Espagne reconnaît l'indépendance des Pays-Bas.

1649-1663

Sous l'influence de Hendrickje
Rembrandt se consacre à la collection des vêtements anciens, armes désuètes et toute sorte d'antiquités pour en parer ses modèles, parmi lesquels se détache Hendrickje, sa nouvelle muse.

1664-1669

Les dettes, la solitude et la mort
La crise économique touche le monde des arts et les cotations des œuvres par les marchands ne sont plus ce qu'elles étaient. Rembrandt peint *La Fiancée juive*. Couvert de dettes et accablé par l'indifférence sociale, il décède le 4 octobre 1669.

1668 À Paris, naît François Couperin, musicien à l'esprit novateur et compositeur de nombreuses pièces pour clavecin ainsi que de sonates et morceaux religieux pour orgue.

1669 Publication des *Lettres d'une religieuse portugaise*, correspondance d'une religieuse franciscaine (Mariana Alcoforado) à un officier français.

Biographie

La lucidité du clair-obscur

« Le visage disgracieux et grossier dont il était affligé était accompagné par une tenue négligée et sale : c'était en effet son habitude, quand il peignait, d'essuyer ses pinceaux sur lui [...]. Quand il travaillait, il n'aurait pas accordé d'audience au premier monarque du monde. »

Filippo Baldinucci

(1624-1696 ; Historien d'art)

◄
Autoportrait tourné vers la gauche
(1659)
Huile sur bois
102 x 85,5 cm
National Gallery of Art, Washington (États-Unis)

En 1641, fut publiée la deuxième édition de *Beschrijvinge der Stadt Leyden* (*Description de la ville de Leyde*) de Johannes Orlers, ancien bourgmestre de la ville, dont un extrait faisait référence à la première information biographique sur Rembrandt.

Probablement rédigée à l'aide de renseignements fournis par la propre mère du peintre, cet article constitua dès lors la base des biographies de l'artiste. Selon cette source, Rembrandt Harmenszoon van Rijn vint au monde le 15 juillet 1606, dans la ville universitaire de Leyde, d'environ quarante mille habitants, à seulement 43 kilomètres au sud-ouest d'Amsterdam.

Ses parents, Harmen Gerritiszoon van Rijn, respectable meunier converti au calvinisme, et Cornelia Willems van Zuytbroeck, plus connue sous le nom de Neeltje ou Neeltgen, « la fille du boulanger », s'étaient mariés le 8 octobre 1589, dans une église réformiste, et vivaient dans une maison dont ils étaient propriétaires dans le quartier de Weddesteeg. Rembrandt fut l'avant-dernier de neuf enfants : Gerrit qui reprit le métier de son père, Adriaen qui fut cordonnier, deux filles, Machteld et Cornelis, qui moururent très jeunes, Willem, boulanger, et Lijsbeth, plus jeune que Rembrandt et qui, apparemment, fut nommée ainsi en souvenir de la grand-mère de sa mère, Lijsbeth Reijmptje Cornelisdochter van Banchem, qui appartenait à l'une des familles principales de Leyde, ferme partisane de la Réforme et convertie au calvinisme.

Leyde était baignée par l'un des bras du Rhin, qui dans sa traversée de la ville conserve son nom. Après avoir bifurqué en deux bras, le Oude Rijn (Vieux Rhin) et le Nieuwe Rijn (Nouveau Rhin), et après avoir été divisé en plusieurs canaux, le bras s'unit à nouveau au cœur même de la ville.

C'est d'ailleurs à ce fleuve que la famille de Rembrandt doit son nom. Le nom Van Rijn vient de son père, en raison du moulin à vent qui se dressait sur les bords du Oude Rijn.

Entre 1613 et 1620, Rembrandt reçut son instruction primaire à l'École latine. Le 20 mai 1620, il fut inscrit par son père à l'Université de Leyde, comme en témoigne le registre d'inscription : « Rembrandus Hermanni leydensis an. 14 Stud[iosus] Litt[eratum] apud parentes ». Mais le destin de Rembrandt ne devait pas se tourner vers la littérature, comme l'avait apparemment imaginé son père. Quelques mois plus tard, Rembrandt abandonna l'université.

Les premiers pinceaux

Entre 1621 et 1623, le fils du meunier se convertit en disciple et apprenti du peintre Jacob Isacszoon van Swanenburgh (1571-1638), qui était rentré à Leyde après plusieurs années en Italie. Son identification avec les courants de la Renaissance qui envahissaient la péninsule le conduisit à se marier avec la Napolitaine Margherita Cordona, modèle célèbre pour sa beauté.

Peu après, Rembrandt, qui s'était apparemment déjà décidé pour la pein-

L'expansion hollandaise

Sous le règne de Charles Quint (ci-contre, par Titien), les dix-sept provinces des Pays-Bas comprenaient une grande partie de l'actuelle Belgique. Après avoir obtenu l'indépendance à la Paix de Munster (1648), sous le règne de Philippe IV, la République des Sept Provinces-Unies, avec Amsterdam comme capitale, grandit et devint l'une des puissances commerciales du XVIIe siècle.

L'influence du Caravage
Le Caravage fut l'une des références les plus remarquables du naturalisme italien. Il refusa l'idéalisation de la beauté de la Renaissance, chercha ses modèles parmi les gens plus simples et eut recours au clair-obscur pour transcrire le volume et la profondeur. Son style « ténébriste » eut une grande influence sur Rembrandt.

▼
Saint Jérôme, de Michel-Ange M. du Caravage (1571-1610).

ture et avait été gagné par l'esprit de la Renaissance, fréquenta l'atelier de Jacob Symonszoon Pynas (1585-1648), également considéré comme un « italianiste ». En 1624, Rembrandt s'installa à Amsterdam, où pendant six mois, il fréquenta l'atelier de Pieter Pieterszoon Lastman (1583-1633). En 1610, ce peintre était rentré d'Italie, où il avait travaillé en étroite collaboration avec Le Caravage et son cercle d'élèves. Au moment où Rembrandt lui rendit visite, Lastman était l'un des artistes les mieux cotés et se consacrait à la peinture de thèmes historiques. Cette même année, Rembrandt retourna à Leyde où il compléta sa formation aux côtés de Joris van Schooten (1587-1651). Peu de mois après, il ouvrit son propre atelier dans le quartier de Weddesteeg, dans la maison de ses parents. L'année suivante, en 1625, le « fils de meunier » peignit son premier tableau daté : *La Lapidation de saint Étienne*.

En 1626, Rembrandt s'associa avec son concitoyen et presque contemporain Jan Lievens (1607-1674), un peintre qui avait également été le disciple de Lastman et avec lequel il partagea l'atelier, non seulement parce qu'ils se retrouvaient dans l'esthétique « italianiste », qui amena Lievens à se rendre en Angleterre en 1629, mais probablement aussi pour des raisons économiques.

En 1628, le jurisconsulte et critique d'art Arent van Buchell, plus connu sous le nom de Arnoldus Buchelius, d'Utrecht, publia *Res pictoriae*, dans lequel figure le premier commentaire sur la peinture de Rembrandt : « Molitoris [...] leidensis filius magni fit, sed ante tempus » (« On fait grand cas du fils d'un meunier de Leyde, mais prématurément »).

La première période

Si dans *La Lapidation de saint Étienne*, on soupçonne l'intervention de son associé et ami Jan Lievens, cette œuvre marqua chez Rembrandt le début de la thématique religieuse, qu'il conserva tout au long de sa carrière. Bien que très marqué par le clair-obscur du style du Caravage, le traitement de la lumière révèle déjà une recherche personnelle et originale. Le dynamisme de *La Lapidation de saint Étienne* constitue une avancée indiscutable dans la production de jeunesse de Rembrandt, toujours fidèle à un chromatisme du style de Lastman, dont l'influence durera de longues années.

Dans la même lignée, Rembrandt peignit *Anna accusée par Tobie du vol d'un chevreau*, *La Fuite en Égypte* et *Jésus chassant les marchands du Temple*. Au cours de ces années à Leyde, Rembrandt se consacra à la gravure avec une habileté qui en fit le représentant principal de tous les temps. Progressivement, le clair-obscur de Rembrandt se définit par des traits particuliers, à partir de contours dans lesquels la lumière se dilue au travers de filtres d'une splendeur subtile, créant ainsi une atmosphère mystérieuse chargée de reflets qui soulignent les personnages. La réputation de Rembrandt commença à s'étendre dans le reste de l'Europe. Le 14 février 1628, Gerrit Dou (1613-1675) entra dans son ate-

▲
L'église gothique de Saint Pancrace, à Leyde. Dans cette ville, Rembrandt s'initia à la peinture. Très vite, il sentit qu'il ne pouvait continuer sa formation que dans la capitale de l'empire hollandais croissant, et il partit pour Amsterdam.

lier et devint le premier de ses disciples. Cette même année, Rembrandt produisit ses deux premières gravures datées : deux petits portraits de sa mère. Le 23 avril 1630 mourut le père de l'artiste. Cette même année, le peintre Constantijn Huygens écrivit dans son journal que Rembrandt et Lievens, le « fils de meunier » et le « fils de brodeur », étaient « d'ores et déjà sur un pied d'égalité avec les plus célèbres peintres et ne tarder[aient] pas à les dépasser ». Huygens ajoutait qu'en raison des origines humbles des deux artistes, il fallait abandonner « la croyance que le sang noble était plus capable que l'ordinaire ». Il ajoutait : « Les faibles moyens des parents des deux leur permirent seulement d'avoir des maîtres modestes, et s'ils voyaient aujourd'hui les travaux de leurs élèves, ils éprouveraient la même honte que les maîtres de Virgile, de Cicéron et d'Archimède. » Enfin, Huygens signalait que Lievens avait plus d'imagination et de force que son compagnon, alors que Rembrandt dépassait Lievens « en réflexion et capacité d'exprimer les émotions ».

Dans son commentaire, Huygens fait référence à un récent tableau de Rembrandt, *Judas rendant les trente deniers*, qui selon ses propres mots, tient tête « à tout ce qui a été produit par l'Antiquité et l'Italie : ici, un adolescent, le fils d'un meunier batave, a dépassé Protogène, Apelle et Parrhasios ».

La popularité de ses peintures et de l'utilisation de la technique de la gravure fut immédiate. En 1631, une série de gravures reproduisit ses œuvres picturales. Les graveurs Jan Joris van Vliet et Willen van der Leeuw en eurent l'initiative, mais furent bientôt imités et dépassés par Pieter de Bailliu, Salomon Savery et Hendrick de Thier.

Rembrandt, lui-même surpris par sa popularité et incapable d'exercer le contrôle sur la diffusion de ses œuvres, s'associa le 20 juin 1631 avec le marchand Hendryck van Uylenburch, sur la base

▲
Amsterdam (ci-dessus, une gravure de 1617), initiatrice de l'expansion coloniale de la Hollande, devint un grand centre culturel et économique. C'est là que s'établit Rembrandt.

d'une participation de mille florins, et décida de s'établir à Amsterdam, dont la population avoisinait déjà les cent dix mille habitants.

Dans la même maison que son associé, au coin de la rue Zwanenburgwal et la Sint Anthoni Breestraat, il ouvrit un atelier, dans lequel très vite, commencèrent à affluer de nombreux élèves. En 1632, Rembrandt atteignit un des sommets de sa production : la célèbre *Leçon d'anatomie du docteur Tulp*.

Résidence à Amsterdam

À l'époque de l'arrivée de Rembrandt, Amsterdam était une ville administrée par une bourgeoisie ascendante, en plein développement économique. Capitale d'un empire colonial en expansion, la ville surprenait et fascinait les voyageurs. En 1626, l'hégémonie de la Hollande avait traversé l'océan Atlantique, pour fonder en Amérique du Nord, la Nouvelle-Amsterdam, l'enclave qui passerait plus tard aux mains des Britanniques sous le nom de New York. Au cours de la décennie de 1630, l'expansion hollandaise atteignit son apogée, avec la consolidation des positions au Brésil, prises aux Portugais, et l'ouverture d'empires sur plusieurs continents : Ceylan, Caracas, Pernambouc, Curaçao, Surinam, Java, les îles Moluques et même la très lointaine Tasmanie. La flotte et l'armée hollandaises faisaient face aux tentatives espagnoles de reconquête des anciennes possessions du nord de l'Europe, mais les vraies batailles se livraient ailleurs, essentiellement à la Bourse de Commerce d'Amsterdam, au pied de laquelle allait mourir la Couronne espagnole au moment d'utiliser les crédits bancaires.

La Guerre de Trente Ans qui ensanglanta le cœur grièvement blessé du Vieux Monde, n'affecta en rien la florissante Hollande qui, sans s'allier avec personne, savait commercer avec tous. Le port commercial d'Amsterdam reflétait cette expansion avec une luxuriante forêt de mâts. Les frégates, modèle de

« [À Amsterdam] tout le monde est si occupé à améliorer ses propres intérêts, que je pourrais y passer toute ma vie sans que personne ne s'en aperçoive ».

Descartes

bateau développé par les Hollandais, sillonnaient les mers du monde entier. Sur les marchés et dans les ateliers, on pouvait trouver des produits et des marchandises de toutes origines, avec une opulence et une variété sans commune mesure en Europe. La structure urbaine ne cessait de s'agrandir autour des trois grands canaux concentriques qui entouraient le centre historique.

Un nouveau voisin prospère

Le long du Herengracht, le Canal des Seigneurs, surgissaient de belles façades de pierre et de brique avec leurs pignons caractéristiques. Là, vivaient les marchands et les artisans les plus fortunés. Comme symbole de juxtaposition tranquille des inquiétudes spirituelles et des ambitions territoriales, à côté de l'église baroque de Westerkerk, et avec la même splendeur architecturale, se dressait la Bourse du Commerce, vrai cœur de l'activité marchande, dont le battement était régi par les puissantes Compagnies du Nord et des Indes.

Dans ce contexte d'expansion et de capital disponible, beaucoup s'enrichissaient. L'investissement dans les grandes entreprises coloniales n'apportant pas de profits, ils se concentraient sur l'achat d'objets domestiques et de décoration, en particulier les tableaux. Même les personnes modestes, dans une imitation évidente des usages seigneuriaux, prirent l'habitude d'acheter des peintures. L'envie de transmettre à la postérité cet état de prospérité général se traduisait par la commande de portraits des membres de la famille, aux peintres et aux graveurs, dont les œuvres devinrent une partie du mobilier domestique et quotidien.

Mais la ville d'Amsterdam ne conjuguait pas seulement la foi et l'art avec l'économie, la science affleurait à la philosophie, alors imprégnée par la pensée cartésienne qui invitait à douter de tout, sauf bien entendu, de l'existence omniprésente de Dieu.

L'arrivée de Rembrandt à Amsterdam ne passa pas inaperçue aux yeux des habitants de la ville. Le peintre lui-même en eut la preuve le 26 juillet 1632. Un an auparavant, les étudiants universitaires avaient fait un pari, celui de vérifier, parmi les cent notables d'Amsterdam auxquels Rembrandt fut inclus bien qu'il venait d'arriver, qui était encore en vie et qui ne l'était pas. Rembrandt reçut avec surprise la visite d'un notaire qui certifia l'avoir trouvé en vie et jouissant d'une excellente santé.

Les grandes familles de la ville d'Amsterdam lui ouvrirent leurs portes en grand. En juin 1634, le riche commerçant allemand Burchard Grossman visita la boutique de Hendrick van Uylenburch afin de rencontrer personnellement le peintre. Sur commande du marchand, Rembrandt écrivit dans son carnet de voyage la note suivante : « un cœur dévot passe avant l'honneur des biens » Le mois suivant, le 22 juillet, Rembrandt se maria avec la riche nièce de son associé, Saskia van Uylenburch, avec une dote de plus de quarante mille florins. Au-delà de l'amour qui unissait probablement les époux, le mariage signifia

Le doute systématique
La pensée cartésienne fondée sur le « doute systématique » s'imposa dans la majorité des pays européens développés au cours du XVIIe siècle. Rembrandt ne resta pas insensible à la philosophie de Descartes qui influença en grande partie l'activité culturelle hollandaise.

▼
Discours de la méthode, œuvre majeure de Descartes (édition de 1648).

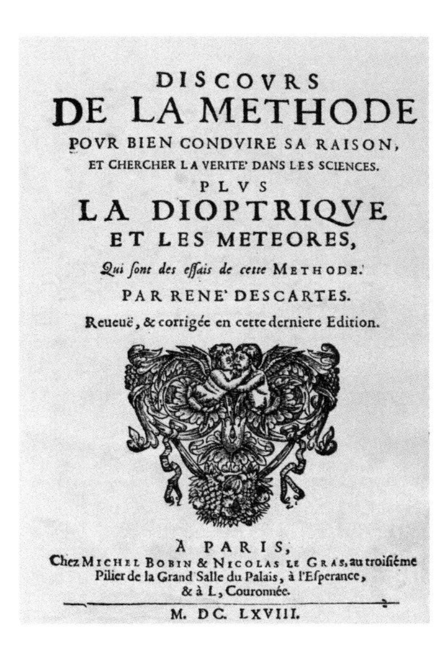

DISCOVRS
DE LA METHODE
POVR BIEN CONDVIRE SA RAISON,
ET CHERCHER LA VERITE' DANS LES SCIENCES.
PLVS
LA DIOPTRIQVE
ET LES METEORES,
Qui sont des essais de cette METHODE.
PAR RENE' DESCARTES.
Reueuë, & corrigée en cette derniere Edition.

A PARIS,
Chez MICHEL BOBIN & NICOLAS LE GRAS, au troisiéme Pilier de la Grand Salle du Palais, à l'Esperance, & à L, Couronnée.
M. DC. LXVIII.

▲
La Ruine, gravure réalisée par Rembrandt en 1645. Le peintre avait l'habitude de se promener dans les alentours d'Amsterdam et chemin faisant, de réaliser des ébauches. Il dessinait des paysages avec les moulins qui devaient lui rappeler son père.

également pour Rembrandt une ascension sociale décisive et la reconnaissance de son art.

Une ascension vertigineuse

Saskia, née en 1612, était la fille de Rombertus, qui, entre autres responsabilités publiques, avait été bourgmestre de Leeuwarden et membre du Haut Tribunal de Justice de Frise, région de la riche famille. Titia, la sœur aînée de Saskia, s'était mariée avec le très fortuné Gerrit van Loo. Selon les témoins, Rembrandt et Saskia s'étaient connus un an avant le mariage, lors d'un voyage que la jeune fille réalisa de Leeuwarden à la demeure de son oncle, à Amsterdam. Les jeunes mariés s'établirent provisoirement dans la même maison que Hendrick van Uylenburch. En 1635, le jeune couple déménagea à la Nieuwe Doelenstraat, sur les bords de l'Amstel. Et en décembre de cette même année, Saskia et Rembrandt eurent Rombertus, le premier enfant, qui ne survécut pas.

Grâce à son mariage et aux importants revenus que lui procurait son activité de peintre et graveur, Rembrandt devint un homme riche et donc un prestigieux membre de la haute société hollandaise.

Très vite, son nom fut prononcé à la cour de La Haye, d'où commencèrent à arriver plusieurs commandes de seigneurs. Par sa façon de penser ou par simple commodité, l'artiste se refusa à adopter une confession religieuse en particulier, ce qui lui permit de peindre sans problèmes pour les différentes églises réformistes, ainsi que pour des familles catholiques et juives.

L'activité de Rembrandt était si intense et le nombre des élèves et apprentis qui voulaient se former aux côtés du « maître » si important, que le peintre décida de déplacer son atelier de la maison de Uylenburch à un grand local, qui avait été un entrepôt commercial, sur le Bloemgracht.

À cette période, Rembrandt aborda, outre les thèmes bibliques les plus divers, des thèmes mythologiques, notamment *L'Enlèvement de Ganymède* et la célèbre *Danaé*. En même temps, Rembrandt développa au mieux le sens baroque du mouvement et du clair-obscur, selon Rembrandt lui-même, « le mouvement le plus grand et le plus naturel », comme le témoigne sa *Sainte Famille* et *Descente de croix*.

Le cycle consacré aux exploits de Samson, reproduits sur plusieurs gravures, s'imposa dans toute l'Europe. Dans cette série, allant de *Samson chassé par son beau-père* aux *Noces de Samson*, ressort *Samson aveuglé par les Philistins*, commandé par Huygens. Quand Rembrandt termina ce tableau, il lui envoya la note suivante : « Monseigneur, accrochez cette peinture en face d'une lumière très forte, de façon à ce qu'on puisse la voir avec du recul : c'est seulement ainsi qu'elle présentera son meilleur aspect ».

▲
Le portrait de sa mère avec un « livre de chœur », livre des matines, illustre le monde familial de Rembrandt, mais aussi son monde intérieur. Son humanisme s'appuie sur un grand intérêt pour la culture sous toutes ses formes.

En 1638, Saskia eut une fille, baptisée Cornelia, mais dans ce domaine, le foyer de Rembrandt semblait marqué par le malheur : la petite fille mourut avant son premier mois. Cette même année, difficile d'un point de vue familial, les parents de Saskia accusèrent le peintre d'avoir gaspillé le patrimoine hérité de la dote de son épouse. Alors que le conflit allait se poursuivre par voie judiciaire, Rembrandt, entièrement soutenu par Saskia, put démontrer que la fortune que les deux possédaient, dépassait de loin le capital initial apporté à l'époque par la famille de la mariée. Comme preuve de

▲
Portrait de Saskia peint par Rembrandt en 1634. Outre l'avantage social que représentait son mariage avec Saskia von Uylenburch, elle fut une compagne aimée et son principal modèle.

cette prospérité, le peintre et son épouse déménagèrent à nouveau, dans une maison plus grande, cette fois voisine de celle de Jan van Valdestijn, propriétaire d'une des pâtisseries les plus connues d'Amsterdam. Fort probablement, en fréquentant le riche pâtissier, l'ancien « fils de meunier » ressentait une certaine nostalgie.

Le 9 avril 1639, Rembrandt fut invité à une enchère de peintures italiennes qui se tenait chez le marchand Lucas van Uffelen. Le commerçant juif Alfonso Lopez, ami de Rembrandt, lui permit d'observer avec attention le *Portrait de Ludovico Ariosto*, de Titien, qu'il venait d'acquérir. Dans les travaux de Rembrandt de cette époque, on peut voir l'influence de ce peintre italien, comme l'*Autoportrait* qu'il réalise l'année de l'enchère.

Époque de prospérité

En mai de cette même année 1639, Lijsbeth, la sœur cadette du peintre, vint vivre avec lui et Saskia à Amsterdam, ce qui supposa un nouveau déménagement, cette fois définitif. Rembrandt et Saskia s'installèrent dans une grande demeure de huit chambres, deux caves et un grenier, dans la rue Sint Anthonies Breestraat, près du quartier connu comme étant « celui des artistes » et bordant le quartier juif.

Il s'agissait d'une maison somptueuse, construite en 1607, que Rembrandt acheta au riche commerçant Christoffel Thijssens pour treize mille florins, sous la condition du paiement d'un quart comme acompte et l'engagement de payer la somme restante dans un délai de six ans.

La nouvelle maison débordait d'œuvres d'art, fruit de sa soif de collections dans lesquelles s'était lancé Rembrandt, influencé par l'esprit des marchands avec lesquels il travaillait chaque jour. Tableaux, gravures, sculptures, plâtres et tapisseries se mêlaient aux vêtements anciens, armes, casques, instruments de musique, toiles et matériel de théâtre, que Rembrandt utilisait pour habiller ses modèles et mettre en scène les sujets.

Le penseur

Goethe intitule *Rembrandt, le penseur*, son commentaire sur le tableau *Le bon samaritain* (reproduit ci-contre en eau-forte) L'inspirateur du préromantisme allemand n'hésite pas à voir chez le peintre une richesse philosophique que les critiques, en général, ne remarquent pas. En effet, Rembrandt incarna non seulement les valeurs esthétiques, mais aussi les idées de son époque.

Au milieu de cette opulence, la vie semblait se montrer prodigue avec le peintre. En juillet 1640, Saskia mit au monde une seconde fille, baptisée Cornelia, mais comme les nouveau-nés précédents, elle mourut à quelques mois. Le couple dut attendre septembre 1641 pour avoir un fils qui arriva à l'âge adulte. Il fut baptisé le 22 du mois, à Zuiderkerk, sous le nom de Titus.

Une nouvelle étape

Entre 1640 et 1647, le processus créatif de Rembrandt fut influencé par plusieurs tendances du baroque : du dynamisme de Rubens (1577-1640) au classicisme de Poussin (1594-1665). Totalement libre, en grande mesure grâce à sa stabilité économique et à son succès social, le peintre chercha et approfondit les possibilités du clair-obscur jusqu'à atteindre une spiritualité palpitante.

En 1642, l'artiste peignit un de ses tableaux les plus célèbres, qui entra dans l'histoire sous le nom de *La Ronde de nuit*, bien que son vrai titre soit *La Sortie du capitaine Banningh Cocq et de son lieutenant Willem van Ruytenburch*. Pour ce tableau, l'un des personnages représenté paya cent florins. À cette époque de grande productivité, Rembrandt peignit également d'autres chefs-d'œuvre, comme *Manué et l'ange, La Visitation et la Réconciliation de David et Absalon*.

À l'apogée de sa maturité, en 1641, dans la *Piazza universale* de Tomaso Gazoni que Matthäus Merian édita à Bâle, Rembrandt était cité parmi les principaux artistes d'Europe. Curieusement, l'une des publications consacrées aux arts plastiques les plus prestigieuses du moment, le décrivait comme « graveur illustre », aux côtés de Jacques Callot et Abraham Bosse, et non pas comme peintre. Fort probablement, cette évaluation capricieuse répondait à des intérêts du marché car Rembrandt était déjà connu dans tout le Vieux Monde comme « peintre suprême ». C'est ainsi que l'appela un autre peintre célèbre, Philips Angel (1616-1683), lors d'une séance à l'académie Saint Luc de Leyde, en choisissant l'exemple irréfutable des *Noces de Samson*.

Mais son apogée artistique ne se traduisait pas dans sa vie familiale. Le 5 juin 1642, gravement affaiblie par la tuberculose, Saskia rédigea son testament. Sur son lit de malade, devant notaire, elle légua à son fils Titus « et ceux qui après lui pourraient naître », toute sa fortune, évaluée à plus de quarante mille florins. À Rembrandt, elle laissait l'usufruit des biens, comprenant la maison, avec la condition que, s'il se remariait, la moitié de cet usufruit reviendrait à sa sœur, Titia van Loo. Le 14 juin, à trente ans, Saskia mourut et fut enterrée dans une tombe provisoire. Le 9 juillet, Rembrandt acquit une tombe dans la Ouderkerk, où les restes de son épouse reçurent une sépulture définitive.

À la maison, le rôle de mère fut occupé par la gouvernante Geertje Dircks, veuve du trompettiste Abraham Claeszzoon, qui avait été un des amis intimes du peintre. Rembrandt demanda à un notaire de faire un inventaire des biens

L'héritage de Dürer

L'œuvre de Albrecht Dürer (1471-1528), éminent graveur, ne passa pas inaperçue aux yeux de Rembrandt, ainsi que ses travaux théoriques et particulièrement ceux consacrés à la perspective. Marqué tout d'abord par sa maîtrise technique, il finit par s'identifier à son univers idéologique. Comme le maître allemand, Rembrandt travailla un sentiment religieux lié aux êtres et aux évènements quotidiens.

▼

Le Chevalier, la Mort et le Diable, gravure de Dürer.

« Je vous demande, Monseigneur, que tout ce que Son Altesse pense m'accorder pour ces deux tableaux [L'Enterrement et La Résurrection], je puisse le recevoir ici aussitôt que possible, ce qui serait en ce moment particulièrement commode pour moi. »

Rembrandt *(Lettre à Constantijn Huygens, le 12-01-1639)*

▲
Ci-dessus, *Le Débarquement de Marie de Médicis à Marseille*, peint par Rubens entre 1622 et 1625. Cet artiste exerça une grande influence sur Rembrandt, en particulier pour le traitement du nu féminin.

légués par Saskia, dont la valeur atteignait quarante six mille sept cent cinquante florins. Une fortune...

Années de maturité et d'ombres

La maturité expressive atteinte, Rembrandt se dirigea vers un style plus complexe. Par le développement d'un chromatisme très riche, il arriva à des estompes totalement nouvelles, desquelles s'échappaient des reflets presque magiques. La première couche était terreuse, préparée à base d'ocre agglutinée avec une résine de colle animale. Il s'agissait de l'adaptation personnelle d'une formule appliquée par Titien, qui plastiquement se traduisait par une évolution très subtile des tons sombres vers les plus clairs.

Rembrandt cessa presque de réaliser des ébauches et des dessins préalables, pour peindre directement avec la couleur, en marquant le profil des figures de contours contrastés à partir des effets lumineux de certains objets, en particulier certains bijoux et décorations métalliques. Le résultat est une constellation de points de lumière qui, selon la perspective de l'observateur, se traduisent par une sensation de mouvement.

Exemples de cette technique, *Aristote contemplant le buste d'Homère* et *La Conspiration des bataves*, furent respectivement réalisés en 1653 et 1661.

Lors de cette période, la figure humaine trouva chez Rembrandt une importance particulière, comme cela est mis en évidence dans les divers *Autoportraits* de l'époque. Sa volonté de plonger dans les recoins les plus reculés de l'âme devient évidente dans les portraits de *Nicolaes Bruyningh* (1652) et de *Jan Six* (1654), dans les portraits de *Femme à l'éventail*, *Homme à la loupe* et *Femme à l'œillet* (ces trois derniers de 1668). Les portraits collectifs, comme *Les Syndics des drapiers* (1662), devinrent pour Rembrandt un exercice de composition et une véritable étude du caractère des personnages apparaissant dans le tableau, habilement disposés pour qu'aucun d'entre eux ne perde sa propre individualité, tout en conservant l'harmonie de l'ensemble. Le réalisme dominant les œuvres de Rembrandt dans sa dernière étape se montre envahi par le clair-obscur, qui marque l'atmosphère prédominante. On entrevoit dans son travail un plus grand mysticisme et un pur sentiment de solitude, particulièrement dans ses peintures religieuses, comme dans le cas des *Pèlerins d'Emmaüs* et *Tête de Christ* ou ses peintures aux thèmes bibliques, comme *Jacob bénissant les fils de Joseph*, *Saul et David*, et plus particulièrement, dans *Bethsabée au bain tenant la lettre de David*, tableau d'une véritable sublimité.

Périodes difficiles

Le 24 janvier 1648, Geertje Dircks, la gouvernante, rédigea un testament en faveur de Titus, lui léguant tout ce qu'elle possédait, y compris quelques bijoux qui avaient appartenu à Saskia et que Rembrandt lui avait offert. Mais ce simple acte notarial fut le prélude d'une tempête agitée. En quelques jours, Geertje Dircks abandonna la maison du peintre et l'accusa de ne pas avoir respecté une promesse de mariage. La magistrature refusa l'accusation, mais imposa à Rembrandt de lui concéder deux cents florins à l'année, à condition que l'ex-gouvernante ne change pas son testament en faveur de Titus. Des irrégularités qui suivirent, conduisirent Geertje Dircks au tribunal correctionnel de Gouda, où elle fut condamnée à douze ans de prison. Rembrandt continua à lui verser la pension annuelle, ce qui permit à Geertje Dircks d'obtenir la liberté en cinq ans, bien qu'elle mourut peu de temps après. Pendant le procès contre l'ex-gouvernante, une jeune paysanne nommée Hendrickje Stoffelsdochter Jaegher, plus connue sous le nom de Hendrickje Stoffels, déclara en faveur de Rembrandt .

Entre elle et le peintre, commença une longue relation amoureuse, que Rembrandt ne transforma jamais en mariage, probablement pour éviter la baisse de la rente prévue par le testament rédigé par Saskia en 1642. Cependant, Rembrandt ne se montra pas bon administrateur de sa fortune. Son irré-

▲
Le tableau *Aristote contemplant le buste d'Homère*, peint en 1653, sur commande du mécène Antonio Ruffo, met en évidence la capacité expressive atteinte par Rembrandt à sa maturité.

▲
Bacchus et Ariane, de Titien (1485-1576). Ce peintre est remarquable pour sa variété thématique : il peignit des paysages, des portraits, des motifs religieux et mythologiques. Étudier sa peinture fut une révélation pour Rembrandt.

pressible fièvre de collectionneur le conduisit à la dépenser dans une longue série d'acquisitions douteuses. Le reste fut causé par la crise économique qui toucha les Pays-Bas, minés par la rude concurrence britannique. Endetté par les prêts concédés par Jan Six, Cornelis Witsen et Isaac van Hertsbeeck, Rembrandt s'engagea à amortir ses obligations dans un délai d'un an, en offrant comme garantie ses biens et ses propriétés. L'année suivante, s'ensuivirent des zones d'ombre dans la vie du peintre. Un tribunal ecclésiastique calviniste accusa Rembrandt et Hendrickje de concubinage. L'artiste échappa à la juridiction des juges alléguant son adhésion à la foi mennonite, mais Hendrickje, fut sommée d'interrompre ses « relations illicites » et fut exclue de l'eucharistie.

En 1654, le scandale qui avait gagné toute la Hollande, se renforça lorsque Hendrickje donna le jour à une fille, baptisée du nom de Cornelia, comme la mère de Rembrandt et les deux filles de Saskia, mortes peu après leur naissance.

L'opinion de Hegel

À partir de diverses considérations historiques, le philosophe allemand G.W.F. Hegel (1770-1831) souligna l'« esprit allemand » qui prédominait chez Rembrandt. Hegel pensait que l'art des Pays-Bas du XVIIe siècle avait été le chantre de l'émancipation et de la modernisation de l'Europe et, sur la première ligne des artistes cités, il n'hésita pas à citer Rembrandt.

L'évolution stylistique du peintre rendit ses œuvres moins attirantes sur le marché de l'art. La bourgeoisie hollandaise n'était pas disposée à accompagner Rembrandt dans le voyage intérieur auquel invitaient ses nouveaux tableaux. Au contraire, elle avait envie que la peinture reflète, avec tous les signes extérieurs possibles, tous les oripeaux de ses découvertes coloniales et financières.

Vers 1655, comme un symbole de cette mauvaise période, le marchand portugais Diego Andrade remit en question le portrait d'une jeune fille pour lequel il avait déjà anticipé le paiement de soixante-quinze florins et dont les résultats ne répondaient pas à ces attentes. Rembrandt refusa de refaire le portrait et fit appel à l'Académie de Saint Luc, en menaçant de vendre le tableau de son côté. Diego Andrade céda face aux pressions et accepta le portrait, mais pour Rembrandt, cela représenta une mise en garde.

En juin 1656, poursuivi par ses créanciers, Rembrandt fit appel au Tribunal Suprême et se déclara en faillite. Le 20 juillet, la haute instance judiciaire désigna le syndic Frans Janszoon Bruyningh pour procéder à la liquidation des biens de l'artiste. Cette mesure commença à être appliquée une semaine plus tard, grâce à l'établissement d'un rigoureux inventaire. La vente des biens de Rembrandt fut réalisée entre 1657 et 1658.

À la taverne « De Keysers Kroon » (l'immeuble existe toujours au 71 rue Kalverstraat) avec un certain Thomas Jacobszoon Haeringh comme crieur public, les biens de Rembrandt furent liquidés au cours de trois enchères.

Tout d'abord, tous ces tableaux furent vendus, dont soixante-dix peints par lui, et d'autres objets d'art qui composaient sa collection particulière. Ensuite, furent mis aux enchères la maison, acquise par le cordonnier Lieven Symons, les meubles et outils, y compris les pinceaux et les palettes. Enfin, ses dessins et gravures furent vendus .

Malgré tout, avec ce qu'il tira des trois enchères, Rembrandt ne réussit pas à payer toutes ses dettes. Seulement quatre des créanciers se déclarèrent satisfaits de l'argent reçu. Les autres, après avoir signalé leur désaccord, essayèrent de trouver une compensation avec le patrimoine de Titus, argumentant qu'en 1647 l'héritage de Saskia avait été surévalué malhonnêtement. Le Tribunal Suprême refusa leurs réclamations.

Curieusement, les poètes vinrent à l'aide de l'artiste fustigé. Dans l'anthologie De Hollantsche Parnas, un poème de Jeremias de Decker, l'un des écrivains de langue hollandaise les plus applaudis de l'époque, réalisa un éloge enflammé de Rembrandt. Dans le même livre, un autre poète hollandais apprécié, H.F. Waterloos, vanta également le peintre.

Le soutien des poètes

Le 15 décembre 1660, par l'intermédiaire d'un contrat notarial, Hendrickje, qui signa d'une croix, Titus et Rembrandt formalisèrent un hypothétique accord, par lequel le peintre leur cédait la propriété et

Le rabbin Menashe ben Israel
Après leur expulsion d'Espagne, beaucoup de juifs se réfugièrent aux Pays-Bas, où ils reçurent un bon accueil. Rembrandt eut avec eux d'excellentes relations. Un de ses amis les plus intimes fut le rabbin Menashe ben Israel, auteur d'un livre mystique : *La Pierre illustre ou la statue de Nabuchodonosor*.

▼
Portrait d'un rabbin, peint par Salomon Konink en 1640.

« Rembrandt ne fut d'aucune façon la victime de sa nature peu pratique, mais plutôt de l'orientation progressive du public vers le classicisme. La Hollande libérale et bourgeoise, qui lui permit de se développer librement, l'écrasa quand il ne voulut pas s'incliner. »

Arnold Hauser

▲
Sur la photo, une palette et quelques pinceaux de Rembrandt dans l'une des salles de l'atelier qu'il occupa entre 1639 et 1658. Il y peignit un grand nombre de ses chefs-d'œuvre.

le droit exclusif de vente, jusqu'à six ans après sa mort, ainsi que la propriété et droit exclusif de toute œuvre qu'il produirait : tableaux, gravures et dessins.

En échange, ses deux associés, auxquels il reconnaissait devoir 800 et 950 florins, s'engagèrent à lui fournir le toit, couvert et assistance durant le reste de sa vie. Par ce recours légal, Rembrandt devint l'employé de son propre fils et de sa servante et maîtresse. L'objectif était de protéger le peintre de ses créanciers et lui permettre de continuer à travailler sans interférences.

Trois jours plus tard, Rembrandt abandonna sa maison, déjà presque vide. Après un bref séjour à la taverne « Keysers Kroon », le peintre s'installa avec Hendrickje, Titus et la petite Cornelia, dans une modeste demeure du Rozengracht, aujourd'hui nº184, en face du Nieuwe Doolhof, dans le quartier populaire de Jordaan, limite sud-ouest de la partie ancienne de la ville.

Une fois de plus, les poètes vinrent réconforter l'artiste. Dans son libre *Het Gulden Cabinet* publié à Anvers, le célèbre écrivain Cornelius de Bie consacra plusieurs de ses poèmes à décrire les tableaux de Rembrandt comme des sommets de la peinture de tous les temps. C'est également ce que fit dans plusieurs compositions le poète Jan Vos, à propos de la réfaction de l'Académie de Saint Luc.

Le 7 août 1661, miné par une maladie sans diagnostic, tout laisse à penser qu'il s'agissait de tuberculose, Hendrickje rédigea devant notaire sa dernière volonté. Elle nomma héritière universelle sa fille Cornelia, qui faute d'héritiers naturels, devrait nommer à Titus, son demi-frère, comme son légataire. Dans le même acte, Rembrandt fut nommé tuteur de la petite fille. À celui-ci corres-

▲
L'Enlèvement des sabines, de Jacques-Louis David. Rembrandt, qui aborda l'histoire et la mythologie du point de vue de l'humanisme, resta seul face à un public qui se dirigeait vers un néoclassicisme que Poussin, et plus tard David, allaient teindre de prêchi-prêcha et d'un aspect martial.

pondrait, jusqu'à sa mort, l'usufruit des biens au cas où ils passeraient aux mains de Titus.

L'évaluation des œuvres de Rembrandt ne cessa de baisser dans la spéculation des marchands et du public en général. Le commerçant Antonio Rufo lui refusa le portrait de *Homère*, argumentant qu'il ne respectait pas les exigences de la commande. C'est ce que fit également le riche Harmen Becker avec un portrait de *Junon*. Néanmoins, les critiques d'art de l'époque n'hésitèrent pas à continuer de voir en Rembrandt un des grands maîtres de la peinture.

La dernière heure

Le 27 octobre 1662, pressé par les besoins, Rembrandt se vit obligé de vendre la tombe de Saskia à la Oudekerk et de déplacer les restes de son épouse à une sépulture plus modeste, au cimetière de la Westerkerk. Malgré cela, le peintre obtint seulement l'argent permettant de vivre quelques mois de plus. Désespéré, il se présenta chez Harmen Becker. Ce commerçant en bijoux et pièces textiles avait pour habitude de prêter de l'argent aux artistes si ceux-ci lui laissaient ses œuvres en gage. En 1662 et 1663, Rembrandt s'adressa à Becker à deux occasions, ce qui permit au prêteur d'acquérir dix-sept toiles et plusieurs cahiers d'ébauches et de dessins.

En 1665, à 24 ans et avec le soutien de son père et du marchand Abraham Francen, Titus demanda aux États Généraux de le déclarer majeur, car sa minorité était un obstacle pour se consacrer au commerce de l'art, duquel il sou-

▲
Statue de Rembrandt à Amsterdam. Tout le Pays-Bas et en particulier cette ville où vécut le peintre, finit par se rendre face à la gloire de son plus grand artiste.

haitait vivre. Sa demande fut acceptée, ce qui facilita le fonctionnement de ses affaires, et par conséquent, l'aide qu'il pouvait apporter à Rembrandt. Par chance, en février 1668, Titus se maria avec Magdalena van Loo, la fille du joaillier Jan van Loo, ce qui tourna également à l'avantage de toute la famille.

Quand Titus partit vivre avec son épouse, le peintre resta seul avec Cornelia, qui avait alors quatorze ans. Mais le nouveau bonheur familial ne dura pas plus de sept mois. En septembre 1668, Titus décéda soudainement. Il fut enterré à la Westerkerk. Six mois plus tard, Magdalena mit au monde une fille, qu'elle baptisa du nom de Titia, en mémoire de son père.

Cette année 1668, Rembrandt peignit deux autoportraits : dans l'un il apparaît sénile et vaincu ; dans l'autre, il arbore un sourire sardonique, comme s'il regardait ceux qui le louèrent et lui tournèrent ensuite le dos pour le laisser dans la misère. Contre toute attente, Magdalena van Loo porta plainte contre Rembrandt. Elle l'accusait de mettre en gage une grande partie des biens que sa fille Titia avait hérités de son père.

Cependant, Houbraken, un témoin direct des dernières années de Rembrandt, raconte que le peintre se contentait d'un repas par jour, à base de pain et de fromage ou d'un hareng à l'escabèche. C'est dans ce contexte emprunt de malheur que Rembrandt trouva la mort, le 4 octobre 1669. Quatre jours plus tard, son corps fut enterré à la Westerkerk, aux côtés de Hendrickje et de son fils Titus.

Une plaque commémorative

Sur cette plaque posée sur un immeuble de Leyde on lit : « Ici naquit le 15 juillet 1606 Rembrandt van Rijn ». Il ne reste rien de la maison originale. Après avoir subi de nombreuses restaurations, elle fut détruite. Finalement, sur le même terrain, on dressa un nouvel immeuble. Malgré tout, les habitants de Leyde revendiquent pour Rembrandt le statut d'enfant de la ville.

Le jour suivant sa mort, un notaire fit un inventaire. Au lieu des 363 œuvres et objets d'art inventoriés en 1656, la liste ne fait état que de cinquante articles, meubles et autres effets domestiques, tous de peu de valeur. Selon un assistant du notaire, dans trois pièces fermées à clé par Magdalena van Loo, étaient entassées « des antiquités et des raretés collectionnées pendant longtemps par Rembrandt. ». S'ils existaient, ces articles devaient être des pièces d'armurerie, d'armes inutilisées et des restes de décors démontés, que, même dans la misère, Rembrandt s'obstinait à collectionner. Selon plusieurs témoignages, Magdalena se montra très impatiente de défendre les droits de sa fille face à ceux de Cornelia. Mais il y avait très peu à répartir.

Ce qui restait de la famille décimée de Rembrandt ne suivit pas un chemin plus heureux. Magdalena, sa belle-fille, si obstinée à défendre certaines priorités de succession, mourut six jours après lui. Les deux orphelines, Cornelia et Titia, se retrouvèrent seules, dépendantes de la charité publique.

Le tuteur de Cornelia, Abraham Francen, et le tuteur de Titia, Frans van Bylert, se livrèrent à une interminable dispute judiciaire pour décider qui conservait les quelques tableaux de Rembrandt encore sauvés de la cupidité. Selon la loi, Cornelia était illégitime, mais Titia, bien que légitime n'était pas la fille, mais la petite-fille de Rembrandt. Quelques années plus tard, Titia se maria avec le fils de son tuteur et mourut en 1725.

L'année suivant la mort de Rembrandt, Francen arrangea le mariage de Cornelia avec Cornelis Suythof, un peintre peu talentueux. Le couple s'installa en Batave, où naquirent une fille et un garçon. La première reçut le nom de Hendrickje ; le second, celui de Rembrandt, un mélange de pitié filiale et d'hommage posthume. ■

▲
Dans cette maison de Sint Anthonies Breestrat de Amsterdam, Rembrandt vécut, aux côtés de Saskia, ses jours de grande opulence. Cependant, lui qui avait connu de longues périodes de prospérité, mourut couvert de dettes.

Galerie

Le caractère résolument actuel de Rembrandt

Teresa Camps
Professeur titulaire en Histoire de l'Art,
Université Autonome de Barcelone

« Il achetait des vêtements hors d'usage, qui lui paraissaient bizarres et pittoresques ; et même quand ils étaient tout à fait sales, il les accrochait aux murs de son atelier, parmi les belles curiosités qu'il prenait plaisir à posséder. »

Filippo Baldinucci (1624-1696)

Encrée dans l'époque baroque qui fut marquée par diverses convulsions spirituelles, la peinture de Rembrandt est dite plus conceptuelle et intériorisée que grandiloquente et dynamique. Il s'agit, à mes yeux, d'une peinture subtile, intense, soignée et intelligente. Rembrandt connaissait bien son métier et s'appuya sur l'observation, le dessin et la gravure, qui lui permirent de développer d'excellentes qualités monochromatiques et une grande habileté pour contrôler la lumière, outre le contraste des ombres. Il plaça dans son point de mire non seulement les thèmes bibliques récurrents, mais surtout son propre entourage, sa femme, ses voisins. À travers sa remarquable série d'autoportraits, il représenta de manière subtile et constante le parcours du temps sur sa propre personne.

Il domina toutes les formes de représentation de l'espace, ainsi que l'expression de l'anatomie de l'animal et de l'être humain dans toutes les positions possibles. De la même façon, il sut traduire la diversité des émotions, comme la tendresse, la colère, la haine, la peur, la douleur ou la joie.

Magistral dans la construction des scènes, parfois intimes, parfois monumentales, il fut tout aussi excellent dans la capacité à figer une action à un moment décisif : retenir les mouvements et l'expression ; ajuster la lumière ; définir l'environnement et concentrer l'attention, particulièrement dans les thèmes bibliques ou mythologiques, mais aussi dans les scènes d'intimité familiale ou dans les portraits des membres de sa guilde.

Non seulement s'efforça-t-il de montrer la réalité au spectateur, mais il tendait également à le transformer en témoin de la représentation. Pour ce faire, Rembrandt eut recours à la représentation de thèmes durs et situations limites, et il tenta de retenir l'instant et le geste presque irréversible et prémonitoire d'un dénouement fatal.

Contrairement à la plupart des peintres baroques, Rembrandt donne une grande sobriété à la plupart de ses œuvres, souvent présidées d'un personnage sous un effet de lumière précis, qui laisse transparaître la réflexion, l'incertitude, la concentration, la sérénité, l'attention, voire la surprise et le bonheur. La lumière, loin de toute réalité naturelle, une lumière conceptualisée et dirigée par le peintre, appuie le déroulement évident du geste et donne une cohérence à l'action. Les arrière-plans sombres des tableaux pèsent sur les figures et l'organisation de l'espace permet au spectateur de se concentrer sur la scène représentée.

Si l'artiste est libre de choisir ses recours, Rembrandt utilisa cette liberté et fut clairement responsable des résultats obtenus : le difficile maintien de situations, d'expressions et de mouvements, le naturel apparent des scènes et la ressemblance des personnages représentés.

Les recours de composition coïncident souvent avec les recours à caractère expressif. La lumière qui définit les corps, les volumes et l'espace, s'unit à la narration du mouvement et renforce les gestes expressifs. De même, l'ombre agit comme contraste dramatique et met en relief les situations en appuyant la concentration de la lumière. Le spectateur attentif aura l'impression de voir les directions prises par la lumière et d'y apercevoir des lignes nettement dynamiques. Un grand nombre de diagonales et de lignes courbes soutiennent la structure de la composition issue de la rencontre subtile entre deux diagonales. Un autre facteur de dynamisme réside dans l'usage intelligent des regards des personnages, qui établissent souvent une relation entre eux. Ce recours expressif invite le spectateur à assister à la représentation. Les gestes et le dessin des mains, toujours actives, accompagnent le caractère narratif des situations.

Rembrandt sut également trouver la dimension exacte de la représentation de chaque scène. Outre l'effet de la lumière et la suspension de l'action dans son moment le plus éloquent, le peintre sut vêtir ses personnages selon leur fonction et leur place dans l'histoire et représenta leur environnement conformément aux thèmes et aux moments requis par la narration.

C'est ainsi qu'il vêtit les protagonistes de ses tableaux de riches et somptueux habits de nobles, sultans, militaires, bourgmestres et dames de la noblesse et que certains personnages bibliques, comme des prophètes, des saints et des martyrs furent représentés avec une grande austérité et un grand ascétisme. L'idée de la temporalité, à savoir ne pas inventer le temps où l'on vit mais le reconnaître comme immédiat et ne pas projeter sur le passé un temps imaginé, transforme les histoires et les mythes du passé en des situations compréhensibles au présent. L'art de Rembrandt tente de montrer la nature de l'être humain, la complexité de ses émotions et les nuances expressives qu'engendre le passage inévitable du temps sur la réalité physique du corps. C'est peut-être cette condition qui fait que la peinture de Rembrandt, au-delà de ses autres vertus, dépasse son époque chronologique et revêt un caractère résolument actuel. ■

▲
Le thème de la cène d'Emmaüs fut traité par Rembrandt dans quatre œuvres. Dans *Les Pèlerins d'Emmaüs* ci-dessus, peint en 1630, il a recréé l'émotion à travers un clair-obscur magistral.

Autoportrait

1629
Huile sur bois
15,5 x 12,7 cm
Alte Pinakothek, Munich (Allemagne)

Rembrandt réalisa une quantité sans pareil d'autoportraits, qui constituent indubitablement une aide précieuse pour comprendre son évolution picturale en intime relation avec le déroulement de sa propre vie.

Pendant un temps, cette tendance à l'autoportrait fut attribué au fait que Rembrandt n'avait pas d'argent pour engager des modèles. Cette explication n'est toutefois que peu soutenable. Son caractère sociable et sa capacité à créer des liens dans les secteurs les plus divers lui assuraient de nombreux modèles résolus à se laisser portraiturer, comme cela se produisit d'ailleurs. D'autre part, Rembrandt ne cessa jamais de faire son autoportrait, aussi bien à des périodes de disette qu'à des périodes plus prospères.

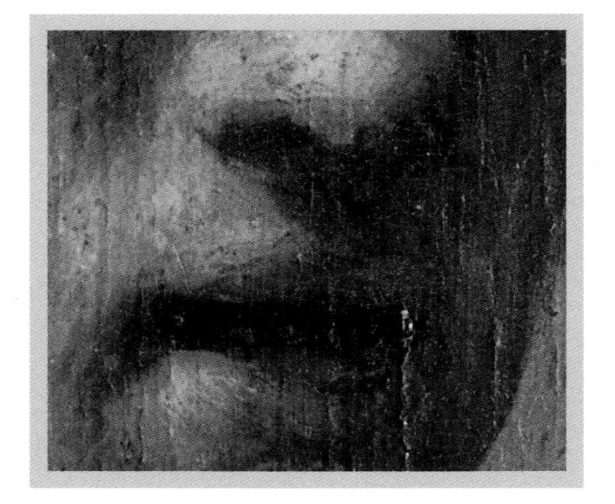

Un Rembrandt balbutiant
Dans cet *Autoportrait*, Rembrandt se montre remarquablement juvénile, avec des traits presque adolescents. Pour réussir cet effet, il se recrée balbutiant. Non seulement il peint les lèvres entrouvertes, mais il leur confère un mouvement à travers le clair-obscur. Sur le trait de couleur sombre qui sépare une lèvre de l'autre, les dents inférieures sont ébauchées. L'absence d'un contour clair donne une sensation de dynamisme.

Depuis la Renaissance, le genre de l'autoportrait devint habituel chez les peintres. C'était une manière de renforcer l'image de l'artiste comme l'un des grandes référents dans le nouveau paradigme de la modernité. Comme dans l'antiquité gréco-romaine idéalisée, l'art devait être à nouveau la matrice d'un monde animé par l'harmonie naturelle et par l'équilibre moral qui devaient régir la vie des hommes.

Nourri de cette conviction, l'artiste rappelait, au travers de son autoportrait, au spectateur et surtout aux éventuels mécènes que la beauté et la vertu étaient des valeurs complémentaires et indissociables, tels que l'étaient l'artiste représenté sur la toile et la société incarnée par le public. Seulement ainsi le tableau pouvait devenir une marchandise et assurer la subsistance de l'artiste.

La série d'autoportraits de Rembrandt permet d'apprécier, de manière très directe, les multiples facettes de sa personnalité et ses changements successifs au long de ses quelques quarante-quatre années d'activité intense. Les autoportraits successifs témoignent également des changements opérés dans sa vision de sa propre vie et de la vie en général. Cet *Autoportrait* représente un Rembrandt jeune dont le regard, quelque peu caché dans l'ombre, est celui de quelqu'un qui commence à se montrer au monde avec autant de prudence que de curiosité. Ses lèvres légèrement entrouvertes semblent plus près du balbutiement que du dialogue. C'est un Rembrandt qui débute. ■

Portrait de vieillard au chapeau de fourrure

1630
Huile sur toile
22 x 17,5 cm
Tiroler Landesmuseum Ferdinandeum, Innsbruck (Autriche)

L'étude des visages de ses parents révèle un aspect très particulier de l'activité de Rembrandt comme portraitiste. Durant des années, on ne sut pas que ce *Vieillard au chapeau de fourrure* était un portrait caché de Harmen van Rijn, le père du peintre. Cela fut confirmé lorsqu'une esquisse de ce portrait, actuellement au Ashmolean Museum d'Oxford, fut découverte.

Le tableau ici reproduit répond au schéma des études de personnage appelées *tronijes*, très populaires au Pays-Bas jusqu'à la fin du XIXe siècle, lorsqu'ils furent remplacés par la photographie. Ces portraits, également connus sous l'appellation « têtes de personnages », intégraient au monde de l'art les gens simples, en particulier ceux des milieux modestes qui jouaient un grand rôle dans la société traditionnellement démocratique hollandaise. Accéder au monde de l'art était en quelque sorte, une façon de s'immortaliser, ou du moins, de rester présent pour les générations à venir.

Rembrandt réalisa beaucoup de ces « têtes de personnages » et immortalisa des expressions particulières, des traits insolites, des vêtements exotiques, des coiffures et des chapeaux très singuliers.

Dans le cas du *Portrait de vieillard au chapeau de fourrure*, le peintre eut recours à un procédé véritablement magistral : une ligne verticale est marquée par la hauteur du personnage et les plis du bonnet de fourrure, le nez, que l'on devine aquilin et le menton renforcé par une petite barbichette. La verticale est soulignée par les effets de la lumière. Le côté gauche du visage est ombré, tandis que l'autre est pleinement illuminé. Dans un climat monochrome, cette verticale conditionne l'ensemble de la figure qui adopte une attitude d'un certain autoritarisme, ou du moins, d'une certaine solennité.

Mais le visage du *Vieillard au chapeau de fourrure* transmet soudain un mouvement, voire une inquiétude. Si l'on regarde bien, l'œil gauche regarde fixement l'observateur et répond ainsi à la ligne verticale tandis que l'autre œil effectue un mouvement vers la droite. Peut-être s'agit-il d'un défaut physique que le peintre reproduisit dans un esprit de réalisme. Ou bien est- ce une déviation passagère que l'artiste capta pour obtenir un effet particulier ? Quoi qu'il en soit, à partir d'un détail minuscule, la grandeur de Rembrandt affleure. ■

Un regard inquiétant
Le regard constitue indubitablement le facteur le plus inquiétant de ce *Portrait de Vieillard au chapeau de fourrure*. Tandis que l'œil gauche regarde directement le spectateur, l'autre dévie vers la droite, un trait particulier que Rembrandt choisit de faire ressortir. À cet effet, le reflet de lumière le plus fulgurant se concentre sur la tempe à côté de l'œil qui dévie.

Le Philosophe en méditation

1631
Huile sur bois
29 x 33 cm
Musée du Louvre, Paris (France)

Les meilleures traditions italiennes dans le traitement du clair-obscur sont synthétisées dans ce *Philosophe en méditation*, depuis Le Caravage jusqu'à Titien. Si l'on observe bien, la lumière et l'ombre s'enroulent entre elles comme un escargot, dans un espace marqué précisément par un escalier en colimaçon. Au centre du tableau, une porte murée est représentée derrière le philosophe qui, tête basse, peut-être à moitié endormi, contemple ses mains. De par ses caractéristiques et le type de linteau, la porte murée conduit à une ambiance souterraine. Qu'il s'agisse d'un débarras, d'une cave ou d'un sous-sol, elle symbolise le mystère. En contraste avec cet intérieur, une lumière extérieure, provenant d'une cours ou de la rue, telle une revendication du monde extérieur, illumine la scène, en particulier la table de travail et la figure du philosophe. Au même instant, une femme dans l'angle inférieur droit attise l'âtre en prévision de la lumière qui bien s'estompera et s'en ira avec le jour, avec la vie.

La ligne verticale de l'escalier marque le centre du tableau en mouvement ascendant et descendant. Dans la quiétude de la scène, ce dynamisme incarne les méditations du philosophe et symbolise la pensée se déplaçant dans les ombres à la recherche d'un peu de lumière. Il convient toutefois, face à ses doutes, d'allumer un feu pour ne pas se laisser surprendre par la nuit. ■

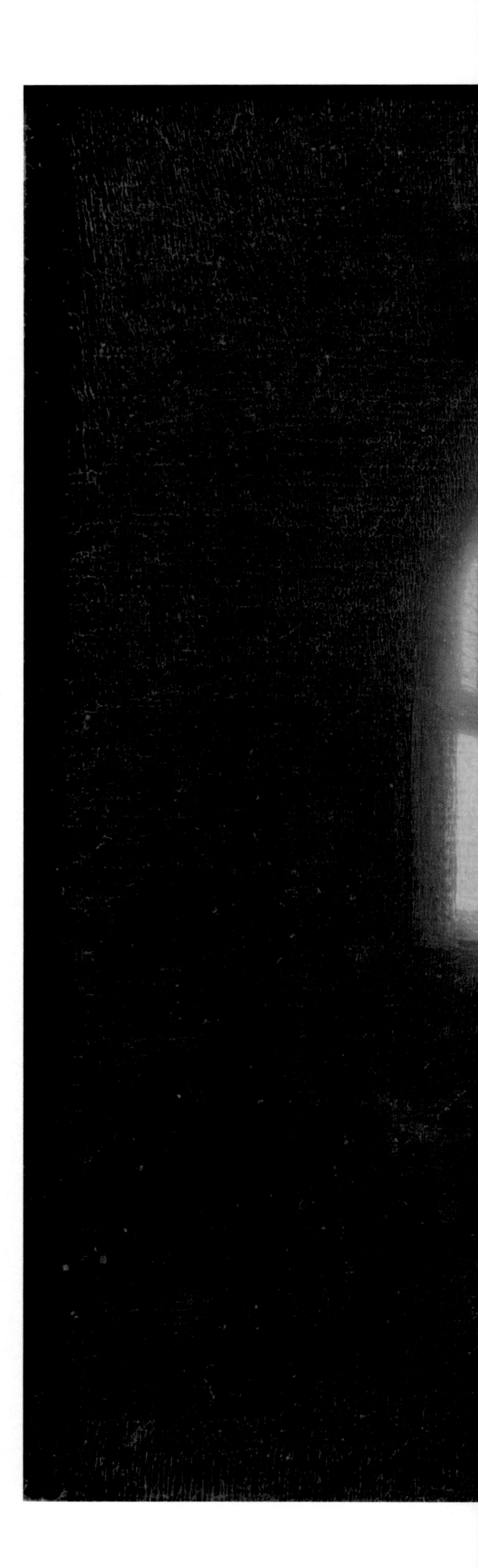

Leçon d'anatomie du docteur Tulp

1632
Huile sur toile
169,5 x 216,5 cm
Mauritshuis, La Haye (Pays-Bas)

Ce tableau, l'un des plus importants de Rembrandt, suscite des réflexions très diverses, des plus obscures et sordides, comme l'origine même du cadavre qui gît sur la table de dissection, aux plus significatives et élevées, puisque, en définitive, il reproduit un instant du développement d'une des plus importantes sciences modernes : l'anatomie.

La grandeur de Rembrandt se doit sans doute en partie au fait d'avoir su se faire l'écho de toutes ces dimensions de la condition humaine. Le cadavre était celui d'Adriaan Adriaanszoon, qui avait gravement blessé un gardien de la prison d'Utrecht et qui, après s'être enfui à Amsterdam, avait frappé et volé un passant. Adriaan Adriaanszoon fut pendu le 31 janvier 1632 et son corps cédé aux chirurgiens de l'université pour une autopsie publique, selon une habitude très répandue dans l'Europe du XVIIe siècle. La grandeur de Dieu ne surgissait plus de la simple affirmation de la Bible, mais de l'étude de ses œuvres et, en particulier, de la plus merveilleuse de ses créations : l'être humain. Ainsi, en découvrant en son propre corps la capacité de Dieu, l'être humain devenait une partie de la condition divine. L'étude de l'anatomie ainsi le montrait. En recréant un instant de cette activité, Rembrandt réaffirmait son propre humanisme. En même temps,

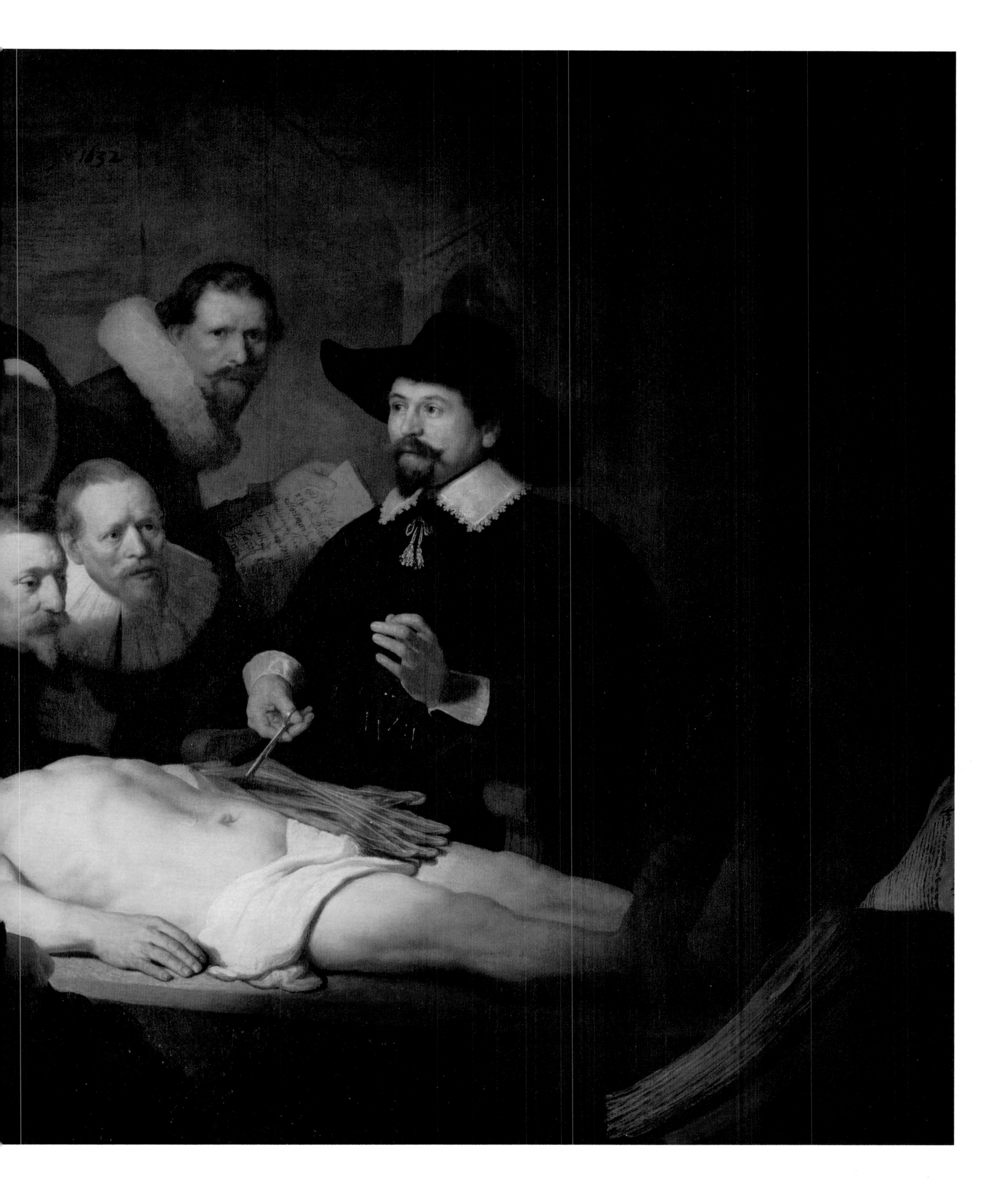

il invitait les spectateurs de son tableau à occuper les gradins, imaginaires sur la toile, qui entouraient habituellement l'autopsie publique.

La réalisation d'une autopsie publique était en soi un signe de progrès et de modernité. Longtemps, l'Église s'était opposée à l'observation de l'intérieur du corps humain, qui était interprétée comme une mise en doute de la perfection divine et plutôt comme une exhibition de curiosité que de foi. Jusqu'au bas Moyen Âge, les autopsies furent expressément interdites par plusieurs bulles papales. Au cours de la Renaissance, l'interdiction commença à être mise en cause. Vers la fin du XVIe siècle, Léonard de Vinci assista à plus de 30 dissections de cadavres et l'empreinte de ses connaissances d'anatomie est visible dans ses dessins de la figure humaine.

Contrairement à d'autres peintres, qui recréèrent des scènes similaires en mettant l'accent sur le public nombreux assistant à l'autopsie, Rembrandt se limita à représenter le cadavre et huit personnes. Il semble même que, dans un premier temps, Rembrandt ne représenta que six personnes, puisqu'il est très probable que le personnage à gauche et celui du haut aient été ajoutés plus tard par l'artiste.

De même, Rembrandt peignit plus tard la liste de noms qu'un des participants tient dans sa main gauche et qui permet de connaître l'identité des personnes présentes. Apparemment, le peintre accordait une grande importance à ce fait, puisque ces personnages faisaient vraisemblablement partie de le plus haute élite d'Amsterdam et avaient contribué au financement de l'œuvre.

Nicolaas Tulp, le seul possédant le diplôme académique de chirurgien, brandit les ciseaux, et coiffé de son chapeau à grands bords, préside la démonstration. En réalité, son vrai nom était Pieterszoon, mais celui de Tulp lui venait du fait que ses parents, propriétaires d'une fleuristerie, vendaient des tulipes. Le fait que le fils d'un vendeur de tulipes puisse arriver à faire partie de l'élite scientifique d'Amsterdam, outre le fait d'avoir rempli à plusieurs reprises les fonctions de maire de la ville, renforçait le désir de Rembrandt, fils d'un meunier, de faire partie de l'élite artistique de la ville.

Cette mobilité sociale faisait partie du grand essor démocratique bourgeois vécu des Pays-Bas après s'être libérés de l'Espagne. La présence de Jacob de Witt, penché au centre du tableau au-dessus de la tête du cadavre, confirme l'ambiance culturelle prédominante dans le tableau. Il était non seulement membre de la direction de la corporation des chirurgiens, qui comprenait les barbiers, puisqu'ils arrachaient des dents et ils réalisaient des saignées, mais il portait aussi le nom de Witt, l'une des familles qui avaient dirigé la révolution démocratique contre les Habsbourg. Parmi les adeptes des Witt se trouvait rien de moins que Baruch Spinoza, et bien entendu, Rembrandt.

Nous savons que Rembrandt décida très soigneusement qui ferait partie de la « Leçon d'anatomie » et qu'il les invita à tour de rôle dans son atelier où il fit des portraits individuels. Par contre, il peignit le bras disséqué lors d'une autopsie. Il est donc évident que la *Leçon d'anatomie du docteur Tulp* constitue ce que de nos jours, dans le langage publicitaire, serait considéré comme un véritable montage.

On pourrait se demander qu'elle était l'intention de l'auteur au travers de cette « publicité ». Il y eut, comme il a déjà été dit, un but économique mais aussi social. Sans le vouloir, Rembrandt apporta une réponse, avec sa toile, à l'esprit d'une époque et aida à l'approfondir et à le diffuser. Ce n'est pas en vain que la disposition rigide du cadavre, avec les yeux couverts par l'ombre de la mort, sert à augmenter le dynamisme de l'ensemble : en effet, la disparité des regards des personnages contraste avec la couleur noire de leurs tenues. ■

1. Autorité. Les protagonistes du tableau observent ce que le professeur Tulp, ciseaux à la main, leur montre. Pourtant, plus que la dissection du sujet, c'est l'autorité du docteur Tulp qui s'impose au travers de sa main gauche qui souligne sa condition de maître.

2. Un détail. Au XVIIe siècle, à mesure que la science médicale progressait, de nombreux traités d'anatomie se répandirent, comme ceux de Günther d'Andernach, Silvio Jacques Dubois et Niccolò da Reggio. Rembrandt n'oublia pas d'inclure l'un de ces traités, peut-être pour rehausser le caractère scientifique de la scène.

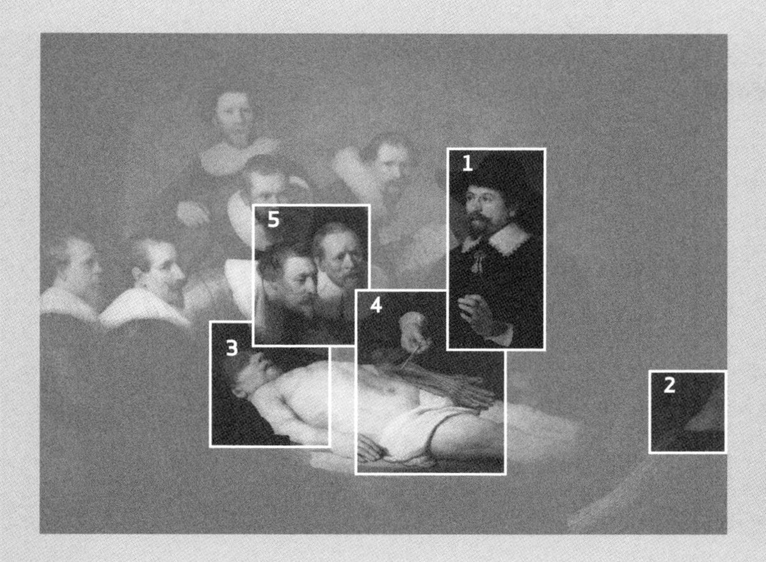

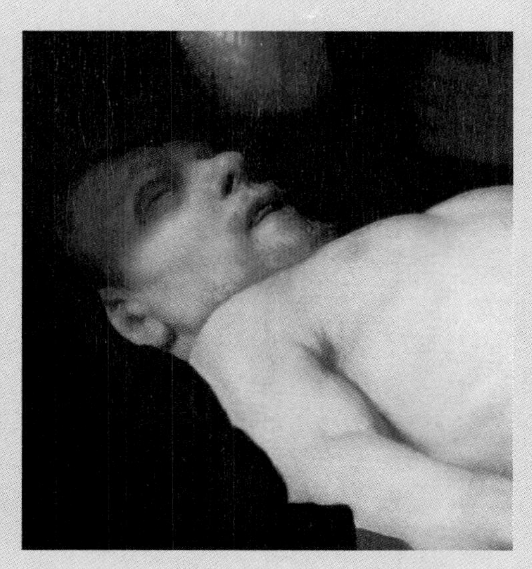

3. L'image de la mort. Il s'agit d'un cadavre, à savoir un corps dans lequel règne la mort. Pour le souligner de manière évidente, Rembrandt représente une ombre couvrant ses yeux. Mais, comme si le détail précédent fût d'un symbolisme très subtil, il utilise une couleur jaunâtre pour rehausser la raideur cadavérique du corps. Au-dessus de sa surface, des ombres légères suggèrent les volumes des différentes zones, faisant contraste avec l'ombre plus intense qui couvre les yeux.

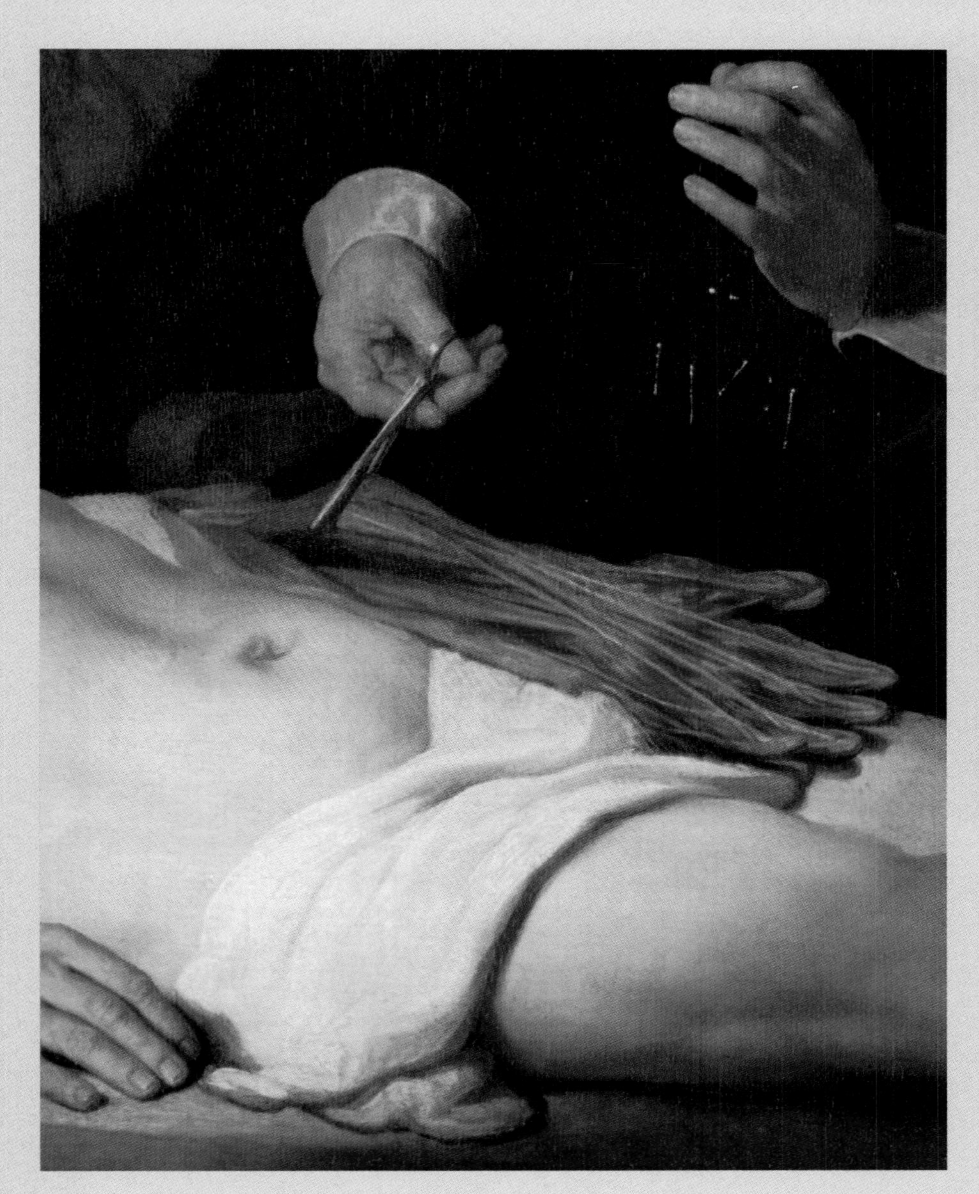

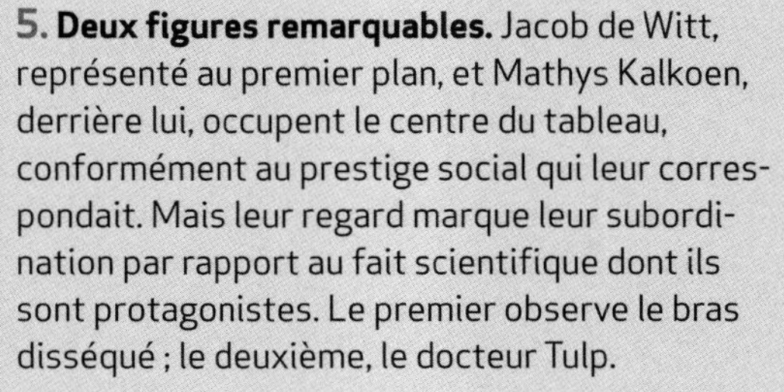

5. Deux figures remarquables. Jacob de Witt, représenté au premier plan, et Mathys Kalkoen, derrière lui, occupent le centre du tableau, conformément au prestige social qui leur correspondait. Mais leur regard marque leur subordination par rapport au fait scientifique dont ils sont protagonistes. Le premier observe le bras disséqué ; le deuxième, le docteur Tulp.

4. Peut-être un hommage. À l'époque de Rembrandt, les autopsies commençaient par l'ouverture de l'abdomen. En 1656, vingt-quatre ans après cette *Leçon d'anatomie du professeur Tulp*, Rembrandt peignit la *Leçon d'anatomie du docteur Joan Deyman*, où la dissection de l'abdomen est montrée. Certains experts pensent que « la première anatomie » est un hommage à Andreas Vesalius (1514-1564), spécialiste en dissection des bras et des mains.

L'Incrédulité de saint Thomas

1634
Huile sur bois
53 x 51 cm
Musée Pouchkine, Moscou (Russie)

L'Évangile selon saint Jean (XX, 24-29) signale : « Thomas, l'un des douze [...] n'était pas avec eux quand Jésus vint. Les autres disciples lui dirent donc : "Nous avons vu le Seigneur !" Mais il leur dit : "Si je ne vois dans ses mains la marque des clous et si je ne mets mon doigt à la place des clous et ma main dans son côté, je ne croirai point." Huit jours après, les disciples étaient encore dans le même lieu, et Thomas avec eux. Jésus vint, les portes étant fermées, et se tenant au milieu d'eux, il leur dit : "La paix soit avec vous". Puis il dit à Thomas : "Mets ici ton doigt et regarde mes mains ; approche aussi ta main et mets-la dans mon côté ; et ne sois plus incrédule mais croyant". Thomas lui répondit : "Mon Seigneur et mon Dieu !" Jésus lui dit : "Parce que tu m'as vu Thomas, tu as cru. Heureux ceux qui croient sans avoir vu" ».

Du Caravage à Rubens, de nombreux peintres se sont inspirés de ce sujet de « l'incrédulité » de saint Thomas. Il incarne un des grands dilemmes de la foi : voir pour croire ou, simplement, croire ? Depuis la confluence de la philosophie du néoplatonisme avec le christianisme, le pari fait sur la foi aveugle a donné lieu aux meilleures visions du mysticisme.

En littérature, la poésie de Fray Luis de León, sainte Thérèse d'Ávila et saint Jean de la Croix sont les sommets de cette ascèse spirituelle : « Dans cette nuit heureuse / en secret, car nul ne me voyait / ni moi ne voyais rien / sans autre lueur ni guide / sinon celle qui en mon cœur brûlait », écrit l'auteur des *Cantiques spirituels*. Même l'Église, enfermée dans la sécurité aristotélique du thomisme, eut recours à la répression et, effrayée, attisa le bûcher.

Pour les arts plastiques, la référence à l'Évangile est essentielle : la vue, fondamentale pour l'existence de la peinture, est mise en question, puisqu'elle représente un danger pour la subordination de la foi à la faculté de la vision. Rembrandt ne pouvait pas rester indifférent face à ce défi. *L'Incrédulité de saint Thomas* fut sa réponse.

Dans le tableau, le caractère divin du Christ est la lumière qui l'illumine de face et qui occupe le centre de l'ensemble. Mais il fait lui même partie d'une ronde, celle formée par tous les personnages, Jésus, saint Thomas et les autres apôtres, qui donne lieu à un lent mouvement, comme une danse. Dans l'angle inférieur droit, un apôtre dort, apparemment étranger à la scène, même si, dans cette ambiance de rêverie, l'on peut imaginer que cette scène fait partie de ses songes. Au-dessus de lui, un autre apôtre le regarde et unit ses mains, comme en prière, peut-être parce qu'il constate « l'humaine sainteté » de ses rêves.

En rendant terrestre et quotidien le sujet de la foi, Rembrandt souligne justement sa transcendance. Comme s'il disait avec saint Jean de la Croix : « Ce savoir ne sachant pas / est de si grande puissance / que les sages argumentant / n'en viennent jamais à bout / car tout leur savoir ne peut / entendre en n'entendant pas / au-delà de toute science ». ■

Artémise (ou Sophonisbe)

1634
Huile sur toile
142 x 153 cm
Musée du Prado, Madrid (Espagne)

L'identité de la matrone qui préside avec tant de force ce tableau de Rembrandt n'est pas connue avec précision. Évidemment, il s'agit d'un tableau au sujet mythologique, auxquels Rembrandt, comme tant d'autres artistes à l'époque, était attaché. Parmi d'autres considérations, ils donnaient ainsi réponse à une nouvelle étape historique qui, pour se légitimer, tournait son regard vers l'Antiquité gréco-romaine, devenue paradigme de la modernité. Rembrandt ne pouvait pas et ne voulait pas agir autrement.

Pour la plupart des experts, l'image féminine représentée dans ce tableau est Artémise ; pour d'autres, il s'agit de Sophonisbe. Par conséquent, selon les avis, le nom du tableau change.

Ceux qui croient qu'il s'agit d'Artémise fondent leur avis sur l'appui légendaire que celle-ci prêta aux artistes, ce qui aurait enthousiasmé Rembrandt. Artémise était la sœur ainsi que l'épouse de Mausole, satrape de la Carie, province de l'Empire Perse. En 353 avant J.-C., à la mort de Mausole, Artémise prit le trône en charge. Sa première mesure fut d'inviter les grands artistes grecs à la capitale de la Carie pour décorer le tombeau de Mausole. Des architectes tels que Satyros et Pythéos et des sculpteurs comme Scopas, Léocharès, Bryaxis et Timothée. Leur œuvre exceptionnelle eut comme résultat rien de moins que le mot « mausolée ». D'après la légende, Artémise se suicida en buvant les cendres de Mausole mélangées à un poison.

Le destin de Sophonisbe fut très semblable, quoique pour des raisons différentes. Épouse de Massinissa, premier roi de la Numidie, elle accompagna son mari dans toutes les campagnes menées contre Rome et plus tard, en tant qu'alliée, contre Carthage. Quand Massinissa mourut lors d'un nouvel affrontement avec les Romains, Sophonisbe préféra s'empoisonner plutôt que de tomber entre les mains de l'ennemi.

Qu'il s'agisse d'Artémise ou de Sophonisbe, la réalité est que le visage et en particulier le regard, est celui de Saskia, épouse et principal modèle de Rembrandt. Tout cet univers féminin tourne indubitablement autour de Saskia.

Il convient de se demander quel était le rapport établi par Rembrandt entre « sa » Saskia, une femme commune et courante, et les héroïnes du panthéon mythologique de l'Antiquité. Au-delà de la disposition de Saskia en tant que modèle, la vision que Rembrandt avait d'elle correspondait aux critères déjà signalés de son époque : dans une société sans Olympe, ni dieux, ni héros homériques, les êtres et les actions quotidiennes, dûment idéalisés, revêtaient un caractère épique. Le livre posé sur la table est une des clés de cette nouvelle étape historique. La culture est devenue accessible pour des secteurs plus vastes, même pour les femmes. ■

Saskia en Flore

1634
Huile sur toile
125 x 101 cm
L'Ermitage, Saint-Pétersbourg (Russie)

Dans la mythologie grecque, elle s'appelait Cloris et dans la mythologie romaine, Flore. Comme son nom l'indique, elle était la déesse des fleurs, des jardins et du printemps. Bien que sa figure soit relativement peu importante dans le panthéon gréco-romain qu'elle partageait avec plusieurs déesses de la fertilité, son association avec la saison du printemps lui donne une importance particulière à l'arrivée de cette époque de l'année. Ses festivités, que les Romains appelaient Floralia, se célébraient en avril ou début mai et symbolisaient la rénovation du cycle de la vie, marquées par les bals, les libations et les fleurs.

L'année de son mariage, Rembrandt peint Saskia, son épouse « modèle », en Flore. Sa chevelure est recouverte de fleurs et elle tient un bâton tressé de feuilles. Sa tenue a une touche d'opulence orientale, élément que Rembrandt employa dans d'autres portraits. À mesure que sa situation économique s'améliorait, surtout après son mariage avec Saskia, Rembrandt se consacra pleinement aux collections. Entre autres objets, il achetait des vêtements « exotiques », « orientaux », que portaient ses différents modèles.

L'expansion coloniale des Pays-Bas vers l'Orient apporta à la métropole, la mode de l'« orientalisme », qui conjuguait richesse et mystère. Pour les Hollandais, comme pour les autres Européens, il représentait un monde aussi riche en matières premières séduisantes qu'en facettes inconnues.

Dans ce tableau, Flore, en réalité Saskia en Flore, se détache sur un fond également fleuri. L'ambiance à caractère païen acquiert un certain ton bucolique, presque panthéiste. Le personnage étant une divinité, comme tout être mythologique, il vit dans un espace propre, mythique, éloigné du monde des êtres humains. Cependant, et c'est un des autres traits du génie de Rembrandt, Flore est interprétée par Saskia, une femme en chair et en os, celle que l'artiste aime. De par la position de son corps, Flore-Saskia semble se diriger vers un objectif précis, bien que, surprise par Rembrandt et donc aussi par le spectateur, elle s'arrête pour se retourner. Son regard ne se fixe pourtant pas sur nous, mais se perd, avec une note de tristesse, dans un de ces « mystères orientaux ». ■

Une nature morte pour chapeau
La coiffure fleurie de Saskia rend hommage à son rôle de Flore. Rembrandt s'est efforcé de le faire ressortir clairement : les fleurs qui couvrent la tête de Saskia-Flore sont le fruit d'un laborieux effort du peintre, au point d'en faire une véritable nature morte. Dans ce travail, c'est la couleur qui donne la forme, dans un quasi avant-goût de la technique impressionniste.

Le Sacrifice d'Isaac

1635

Huile sur toile
193 x 133 cm
L'Ermitage, Saint-Pétersbourg (Russie)

L'épisode du *Sacrifice d'Isaac* relaté dans la *Genèse* (XXII, 7), premier livre de l'Ancien Testament, est intimement lié au récit de la Création, c'est-à-dire au destin de l'humanité. Dans ce passage biblique, Dieu décide de mettre à l'épreuve la foi d'Abraham, auquel il est apparu, et lui exige le sacrifice d'Isaac, son fils unique. Abraham n'hésite pas et l'action se poursuit ainsi :

« Alors Isaac, parlant à Abraham, son père, dit : "Mon père". Et il répondit : "Me voici, mon fils". Isaac reprit : « Voici le feu et le bois, mais où est l'agneau pour le sacrifice ? ». Et Abraham répondit : "Mon fils, Dieu se pourvoira lui-même de l'agneau pour le sacrifice". Et ils marchèrent tous deux ensemble. Lorsqu'ils furent arrivés au lieu que Dieu lui avait dit, Abraham y éleva un autel et rangea le bois. Il lia son fils Isaac et le mit sur l'autel, par-dessus le bois. Puis Abraham étendit la main et prit le couteau pour égorger son fils. Alors l'Ange du Seigneur l'appela des Cieux et lui dit : "Abraham, Abraham". Et il répondit : "Me voici". Et l'ange dit : "N'avance pas ta main sur l'enfant, et ne lui fais rien ; car je sais maintenant que tu crains Dieu, et que tu ne m'as pas refusé ton fils, ton unique." Abraham leva les yeux et vit derrière lui un bélier retenu dans un buisson par les cornes. Et Abraham alla prendre le bélier et l'offrit en sacrifice à la place de son fils. »

Cette citation constitua, au fil des siècles, l'un des grands écueils des trois grandes religions monothéistes : jusqu'à quel point l'observance de la foi justifie le crime ? Sur le terrain de la pensée laïque, la question se déplace au champ de l'éthique. D'une manière ou d'une autre, le conflit perdure, aujourd'hui plus que jamais.

Dans cette scène abordée de manière dramatique, Rembrandt capte le moment culminant de l'évènement, ce qui entraîne l'implication du spectateur. L'ange retient le bras d'Abraham levé pour égorger son fils. Le patriarche tourne la tête, contrarié et effrayé par la présence du représentant de Dieu ou par le crime qu'il est sur le point de commettre. Dans le vide qui occupe le centre du tableau, il laisse tomber le couteau pointant vers le cou nu de son fils. Sa main gauche couvre encore le visage d'Isaac, peut-être pour ne pas se sentir observé par la victime. Le couteau lâché dans le vide oblige le spectateur à imaginer l'instant précédent et ce qui, sans l'intervention de l'ange, auraient pu se produire. Comme accablant notre conscience de tout son poids, le tragique de cet épisode s'effondre brusquement, poussé par le mouvement qui dynamise dans un élan torrentiel le déplacement de la lumière en diagonale, de la tête de l'ange au visage choqué d'Abraham, pour finalement jaillir sur le corps de la victime qui, illuminé dans son impuissance, capte l'attention du spectateur. ■

Autoportrait avec Saskia

1635
Huile sur toile
161 x 131 cm
Staatliche Kunstsammlungen (Gemäldegalerie), Dresde (Allemagne)

Longtemps considérée comme un autoportrait de Rembrandt avec son épouse Saskia au début de l'époque de tranquillité économique et de leur relation sentimentale, cette œuvre est aujourd'hui également intitulée *Le fils prodigue dans une taverne, Le fils prodigue dans la maison close* ou *Couple heureux*.

Il ne fait nul doute qu'il s'agit de Saskia assise sur les genoux de son époux Rembrandt, dans une attitude qui aura sûrement inquiété plus d'un puritain hollandais de l'époque.

Saskia porte une large robe verte, alors que Rembrandt porte un chapeau en cuir avec une grande plume blanche et tient à la main une coupe de vin. Il semble défier le spectateur en portant un toast et faire étalage de sa « conquête », qu'il retient légèrement avec la main gauche sur le dos de son épouse.

Au-delà des divers contenus thématiques possibles, ce tableau ne reflète pas seulement un moment d'évident bonheur dans le couple que formaient Rembrandt et Saskia, mais aussi un moment très particulier de la société hollandaise. En fait, un tableau semblable était difficile à imaginer dans l'Espagne de la Contre-Réforme, de laquelle les Pays-Bas obtinrent l'indépendance à cette époque.

Les diverses Églises participant à la Réforme étaient d'accord pour proscrire la prolifération d'images et d'icônes dans les temples, car elles étaient considérées comme un succédané d'idolâtrie. Cette conviction aida à rompre le lien étroit défendu par les Habsbourg entre l'art et la religion. Les artistes durent alors chercher de nouveaux sujets, qu'il s'agisse de la vie quotidienne ou de la reproduction de faits historiques.

Le point de vue du public changea également : les anciens acheteurs d'œuvres d'art qui versaient habituellement des dons à l'Église, commencèrent à acquérir des objets d'art pour décorer leurs propres demeures ou les espaces publics administratifs ou corporatifs. La finalité symbolique ou « éducative » de l'art se déplaça vers une évaluation des valeurs plastiques particulières.

Rembrandt, qui ne peignit aucun tableau pour aucune Église, est un exemple de cette mentalité. Il fut très clairement l'un des dignes représentants d'une Hollande démocratique et progressiste, moteur de la modernité. ■

Le visage de Saskia
Tourné vers le spectateur, le visage de Saskia montre un certain malaise par rapport au sourire de son époux. Le climat mondain qui envahit le tableau et le contraste entre l'expression de Saskia et celle du peintre renforce l'idée qu'il s'agit de la parabole du fils prodigue. Cependant, rien n'est plus éloigné de Rembrandt que d'attribuer à l'art une finalité moralisatrice.

Le Festin de Balthazar

1635
Huile sur toile
167,5 x 209 cm
National Gallery, Londres (Angleterre)

Le Livre de Daniel (V, 1) rapporte le récit suivant : « Le roi Belschatsar [Balthazar] donna un grand festin à ses grands au nombre de mille et but du vin en leur présence. [...] [Il] fit apporter les vases d'or et d'argent [...] qui avait été enlevés du temple, de la maison de Dieu à Jérusalem ; et le roi et ses grands, ses femmes et ses concubines, s'en servirent pour boire. Ils burent du vin, et ils louèrent les dieux d'or, d'argent, d'airain, de fer, de bois et de pierre. À ce moment, apparurent les doigts d'une main d'homme, et ils écrivirent, en face du chandelier, sur la chaux de la muraille du palais royal. Le roi vit cette extrémité de main qui écrivait. Alors le roi changea de couleur et ses pensées le troublèrent [...] et ses grands furent consternés ».

Les plus grands sages et astrologues assyriens, chaldéens et babyloniens, convoqués par Balthazar, ne purent déchiffrer l'inscription laissée par la main sur le mur. Le juif Daniel, captif à Babylone avec tout son peuple, fut alors appelé et lut le texte : « Mené, mené, tekel, upharsin » Il le traduisit de l'hébreu : « Mené : Dieu a compté ton règne, et y a mis fin. Tekel : Tu as été pesé dans la balance, et tu as été trouvé léger. Upharsin : Ton royaume a été divisé et donné aux Mèdes et aux Perses. »

Outre ce thème biblique ici abordé, Rembrandt réalisa plus d'une trentaine de tableaux sur des thèmes de l'Ancien Testament. À cette époque, Amsterdam se composait d'une grande population juive, plus de 100 000 personnes dès le milieu du XVIIe siècle. Amsterdam accueillit également de nombreux descendants des communautés juives expulsées d'Espagne et du Portugal. Partie intégrante du paysage quotidien, les Hébreux y avaient leurs propres tribunaux et pouvaient célébrer leur culte, loin de la persécution antisémite qui dominait alors dans la grande majorité des autres pays européens.

Se consacrant principalement au commerce, les Juifs disposaient d'un niveau économique élevé et beaucoup d'entre eux étaient acheteurs d'œuvres d'art. D'ailleurs, l'un des grands amis intimes de Rembrandt était le rabbin Menashe ben Israel, un important cabaliste.

D'autres raisons expliquent la récurrence des thèmes bibliques chez Rembrandt. À la différence d'autres villes, comme Rome, Venise ou Paris, Amsterdam manquait de culture historique propre. Les murs de ses châteaux ou bâtiments publics ne pouvaient être décorés d'images de héros célèbres ou de batailles importantes, tout simplement parce que les Pays-Bas n'en avaient pas. La puissance des Pays-Bas avait grandi dans l'ombre du Port d'Amsterdam, intimement lié aux évènements du commerce international. Bastion de la Réforme, le pays ne pouvait même pas se revendiquer comme un centre religieux institutionnalisé.

À l'instar du *Sacrifice d'Isaac*, Rembrandt élude dans cette œuvre le narratif et l'instructif pour mettre l'accent sur le dramatique. Il ne reproduit pas l'histoire qui se déroula au VIe siècle avant J.-C., ne cherche pas à atteindre un objectif moralisateur grâce à elle, mais il revient toujours à l'histoire, biblique en l'occurrence, pour insister sur le moment de l'action. Selon la séquence épisodique des faits qu'il connaissait bien évidemment, le roi Balthazar serait assassiné cette même nuit. Rembrandt fait ressortir l'instant de frémissement, le moment où la main écrit sur le mur le présage fatidique : « Mené, mené, tekel, upharsin ».

Dans le tableau, la lumière émane de ces mots que Rembrandt reproduit en lettres hébraïques dessinées à la perfection. Dans la reproduction du texte, le peintre va jusqu'à respecter la légende puisque les mots sont écrits dans le sens vertical, afin que leur lecture soit encore plus indéchiffrable par les sages babyloniens consultés.

Comme un deuxième centre en haut à droite, le texte éblouit le spectateur au point de l'empêcher de distinguer le mur et l'espace reproduit sur la toile. Dépourvue de point d'équilibre, la scène est dominée par le personnage de Balthazar, qui se met brusquement debout et lève le bras gauche pour se protéger de la lumière, tout en essayant de s'appuyer sur sa main droite. Un détail montre qu'il ne trouve pas son équilibre : sa main n'est pas appuyée sur la surface de la table, mais sur le couvercle d'un plateau, ce qui renforce la sensation d'instabilité. Au mouvement du corps, il convient d'ajouter le mouvement de la tête : si, comme le spectateur l'imagine, quelques secondes avant il s'adressait à ses convives, maintenant il se retourne, les yeux exorbités, vers le texte.

L'impact de l'inscription donne son dynamisme au tableau. À droite, l'impact a une répercussion direction sur une femme qui semble tomber de sa chaise, tandis que se renverse le contenu de son verre. Alors que les autres personnages sont de profil ou de côté, elle est représentée du dessus. Ainsi, le regard du spectateur glisse de la nuque et du cou au décolleté. Dans un raccourci de maître, Rembrandt obtient un effet de violence, avec le jeu d'ombres et de lumières, conformément aux plus grandes traditions du ténébrisme italien. ■

1. **Peindre le vide.** Babylone est sur le point de tomber, et il s'agit du message ultime. Sur la toile, mise à part l'inscription, tout se précipite. La main s'accroche à la coupe, mais elle se renverse, et laisse échapper son contenu. L'autre main cherche un point d'appui, mais elle rencontre seulement le vide.

2. **Une lueur.** Sur la gauche, parmi les ombres, loin de la lumière, on est surpris par l'éclat doré qui souligne la plume du chapeau féminin. Non seulement ajoute-t-il à la sensation de mouvement, mais il signale également la présence de la musique lors du festin.

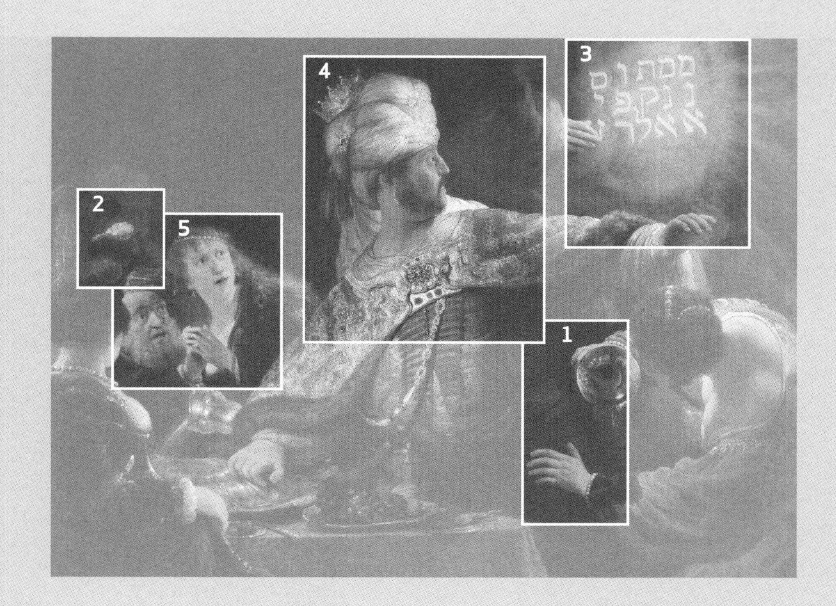

3. Très près et très loin. La main qui écrit le fameux « Mené, mené, tekel, upharsin » et la main de Balthazar, auquel est destiné le message, sont très proches dans l'espace mais à la fois très éloignées thématiquement. Ce contraste donne un dynamisme : la main qui écrit s'unit à l'origine de la lumière, c'est à dire l'inscription, celle de Balthazar, à sa propre instabilité et à celle qui se répand sur les convives du festin.

4. Un travail minutieux. Au milieu du chaos qui s'empare de la scène recréée, Rembrandt n'hésite pas à reproduire avec une extrême méticulosité le manteau du roi Balthazar. Où qu'il regarde, le spectateur croise sur le manteau un élément en or ou en argent et de nombreuses incrustations de pierreries minutieusement reproduites. L'intention de Rembrandt est de souligner l'opulence et le faste de Balthazar pour accentuer le tragique et la tension du sujet.

5. Entre stupéfaction et peur. Les yeux exorbités et les lèvres clairement entrouvertes décrivent l'humeur des principales figures humaines après le roi. Les corps se rapprochent comme s'ils cherchaient refuge chez l'autre. Les mains de la femme se joignent sur le point de supplier. En se penchant vers la gauche, les deux donnent la sensation de fuite.

Danaé

1636

Huile sur toile
185 x 203 cm
L'Ermitage, Saint-Pétersbourg (Russie)

Peinte aux alentours de 1636, l'œuvre fit l'objet de diverses retouches environ quinze ans plus tard. Certains critiques soutiennent que le personnage ne représente pas la mythique Danaé, mais plutôt « Vénus attendant Mars », « Rachel attendant Jacob » ou « Sarah attendant Abraham ». Il est probable que les retouches ultérieures réalisées par Rembrandt aient intégré diverses possibilités thématiques. Entre autres considérations, l'épisode mythologique constitue un fait circonstanciel, presque secondaire, car le thème profond est la nouvelle vision du monde féminin, exprimé à travers un nouveau langage plastique.

Dans la mythologie grecque, Danaé était la fille d'Akrisios, roi d'Argos et d'Eurydice, fille de Lacédémon. Déçu par l'absence d'héritiers masculins, Akrisios consulta un oracle pour savoir si cette situation allait changer. L'oracle lui dit de se rendre aux derniers confins de la Terre, où il allait être assassiné par le fils de sa fille. À ce moment là, Danaé n'avait pas encore d'enfants et par conséquent, afin de contrer la prédiction de l'oracle, Akrisios enferma sa fille dans une tour de bronze. Mais Zeus, transformé en pluie d'or, déjoua la réclusion de Danaé, qui tomba enceinte. Peu après, naquit le fruit de cet amour, Persée, autre héros mythologique. Bien entendu, conformément à son destin, Persée donna la mort à Akrisios, roi d'Argos.

Danaé fut un personnage appréhendé par de nombreux peintres, de Titien à Poussin, tous selon des perspectives plastiques et conceptuelles très différentes. Rembrandt représente Danaé saluant quelqu'un, Zeus peut-être, au travers du voilage de sa couche. Son regard se dirige vers cette personne, tout comme celui de la domestique qui soutient le rideau tiré. Cette personne n'est pas montrée, sinon suggérée. Alors qu'elle regarde et salue dans une autre direction, Danaé tourne son corps vers le spectateur, révélant toute sa nudité et sa grande sensualité. Rembrandt unit deux perspectives : l'imaginaire à travers la personne que l'on devine derrière le rideau, et le réel de ceux qui se trouvent de ce côté de la toile, à savoir nous tous.

Curieusement, l'œuvre de Rembrandt eut un destin aussi malheureux que Danaé. Depuis Pierre le Grand, les tsars étaient très amateurs d'œuvres hollandaises. Ceci explique pourquoi aujourd'hui, les musées russes comptent de nombreuses œuvres de Rembrandt, dont *Danaé*. La toile fut très endommagée par un mythomane qui, au nom de la morale, lui jeta un flacon d'acide. Pendant des années, la toile fut mise à l'écart dans les réserves de l'Ermitage. Étant donné que personne ne se rappelait de son existence, mis à part les catalogues, on la croyait perdue. Elle fut redécouverte par hasard par l'un des gardiens du musée et elle fut soumise à une rigoureuse restauration. En 1998, *Danaé* revint attendre en public la visite fructueuse de Zeus. ■

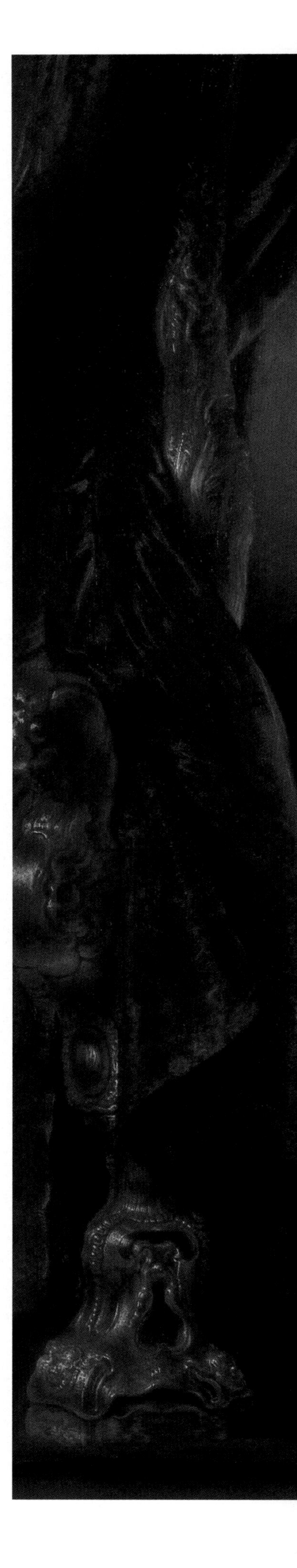

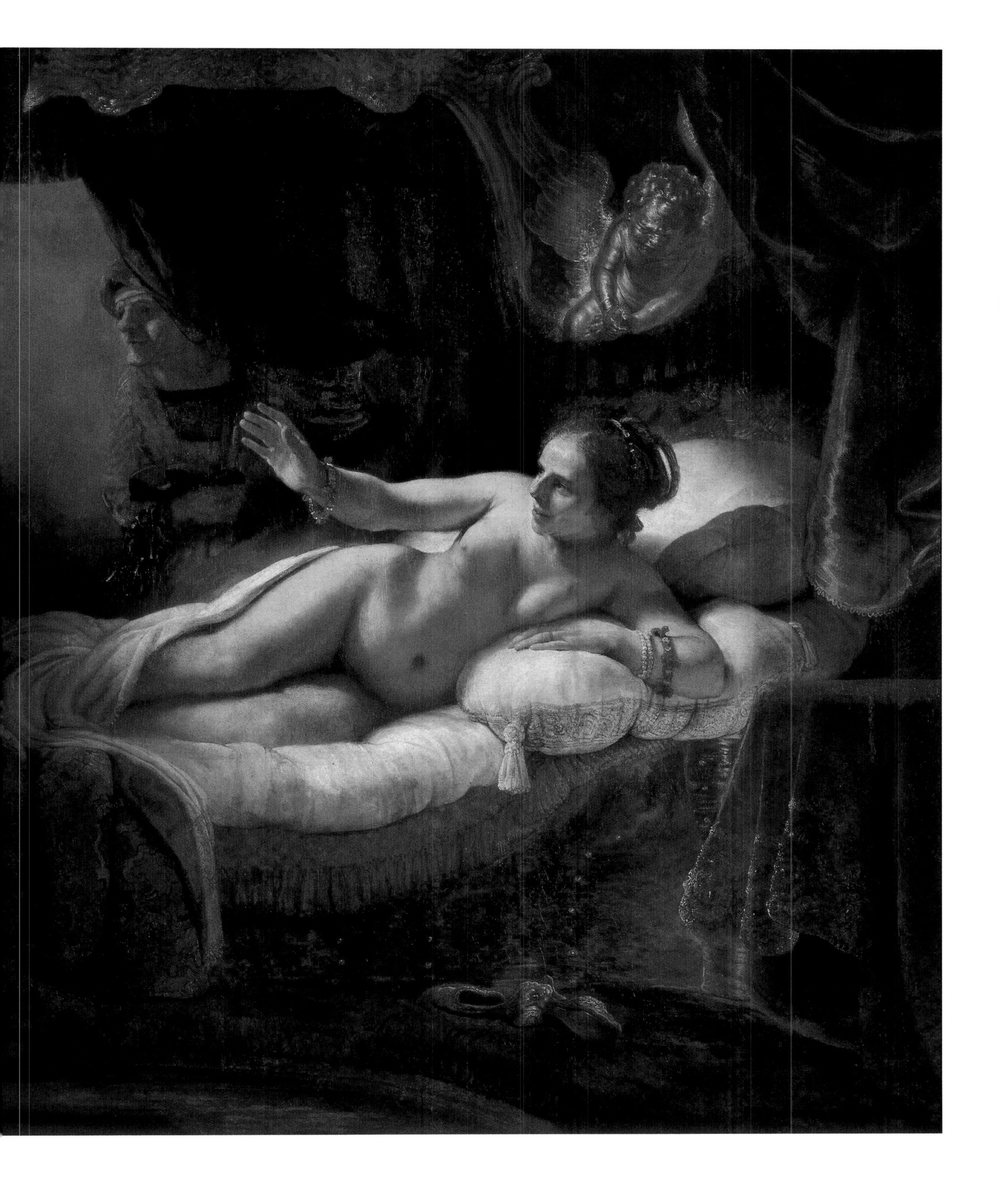

L'Archange Raphaël quittant la famille de Tobie

1637

Huile sur toile
68 x 52 cm
Musée du Louvre, Paris (France)

Le *Livre de Tobie* était très répandu chez les Hollandais, c'est pourquoi Rembrandt l'utilisa comme source d'inspiration à plusieurs moments de sa vie. Le livre narre le voyage de Tobie en compagnie d'un étranger. Tous deux capturèrent un poisson qui servit à soigner la cécité de son père et à éliminer les esprits malins qui possédaient Sarah, son épouse. Personne de la famille de Tobie ne réalisa que l'inconnu était, jusqu'à ce qu'il parte, l'Archange Raphaël (en hébreux, « le médecin de Dieu »).

Ce moment est celui choisi par Rembrandt. Dans le tableau, la famille de Tobie apparaît à la porte de sa maison, tandis que l'Archange s'élève, les ailes déployées, dans un scintillement de lumière. L'Archange semble quitter le tableau, donnant ainsi un accent marqué de perspective. Son pied s'appuie précisément dans l'air, juste dans le vide qui occupe le centre du tableau. À gauche, Rembrandt recrée les attitudes des personnages face au départ de l'inconnu qui les a tant aidés : le vieux Tobie à genoux baisse la tête en signe de révérence, son fils regarde l'Archange avec étonnement, la vielle Ana détourne le regard, Sarah l'observe et le chien aboie.

Grand connaisseur du Caravage à travers son maître Pieterzoon Lastman et du groupe des dits « caravagesques d'Utrecht », Rembrandt accorde une énorme importance à la lumière, illuminant le motif principal, l'Archange en l'occurrence, mais aussi certaines zones de la famille, comme la tête de Tobie ou le décolleté de Sarah. Le reste est plongé dans la pénombre, enveloppé dans une ombre obscure et dorée à la fois. Pieterszoon Lastman n'aurait probablement jamais été connu s'il n'avait pas été le maître de Rembrandt. Presque toute son œuvre fut réalisée à Amsterdam, même s'il fit un voyage à Rome au début du siècle, admirant et assimilant spécialement le style du Caravage. Ces éléments italianistes furent transmis à tous les membres de son école, source d'admiration pour le ténébrisme qui s'imposa chez les peintres hollandais des premiers temps du Baroque et parmi eux, Rembrandt. Sa thématique la plus habituelle fut une thématique religieuse, sans déprécier la mythologie et l'histoire, avec de fortes doses de théâtralité et de pathétisme dans ses compositions. ■

La quotidienneté dans le miracle
Dans sa vision du monde, pleinement humaniste, Rembrandt ne conçoit rien de divin qui, d'une certaine manière, ne soit lié au terrestre. Dans cette peinture, au moment le plus solennel, lorsque l'Archange s'élève vers le ciel et quitte Tobie et les siens, Rembrandt ne manque pas de placer un chien qui aboie à la porte de la maison, soulignant ainsi la quotidienneté du fait miraculeux.

Le Bœuf écorché

1640
Huile sur bois
94 x 69 cm
Art Gallery and Museum, Glasgow (Écosse)

Tout au long de sa carrière créative, depuis ses débuts, Rembrandt s'est clairement penché sur l'élaboration de thèmes bien définis. Ainsi, ses tableaux sont riches en épisodes bibliques ou mythologiques, et en l'absence de ceux-ci, de scènes de la vie quotidienne. En ce sens, Rembrandt s'est inscrit dans la longue tradition de la peinture de la Renaissance, particulièrement l'italienne.

Bien que les portraits et les autoportraits constituent une partie remarquable de la production de Rembrandt, même d'un point de vue quantitatif, le génie hollandais préférait celle qui, déjà à son époque, était dénommée « la grande peinture ». Face à ce courant, il existait également un public intéressé par la « peinture de genre », quoique franchement minoritaire.

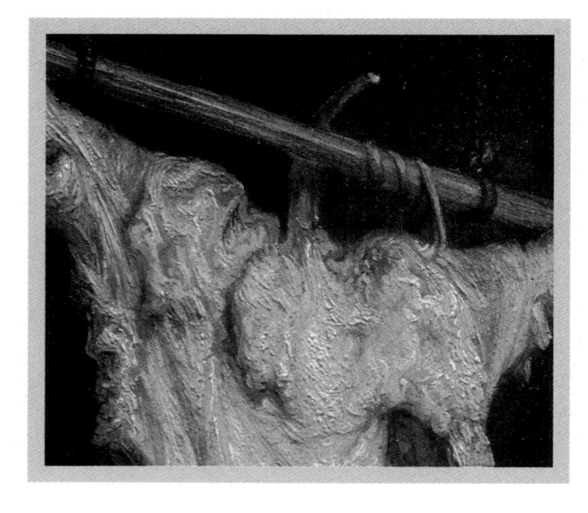

Presque une crucifixion
La lumière qui illumine la pièce de l'animal sacrifié provient du haut, même si l'on ne sait pas exactement d'où. Le bœuf écorché a été suspendu par les bouchers par ses extrémités sur un madrier horizontal. L'analogie formelle entre ce matériel de bois et la croix est évidente. En ce sens, le symbolisme du *Bœuf écorché* est très clairement celui de la douleur, et pas seulement celui de la chair.

Rembrandt, grand connaisseur des demandes du marché des vendeurs et des collectionneurs et sensible aux exigences de la société de son époque, ne réalisa qu'une douzaine de tableaux consacrés au genre paysager et seuls certains d'entre eux, d'ailleurs injustement, figurent parmi ses œuvres maîtresses.

Rembrandt peignit également des œuvres qui rappellent le développement de la nature morte. Ce genre cherchait à représenter des objets sans vie dans un espace déterminé, notamment des animaux de chasse, des fruits, des fleurs, des ustensiles de cuisine, de table ou domestiques, des antiquités diverses, etc. Ce genre pictural se servait d'arrangements exquis, de merveilleuses couleurs et d'un éclairage fin pour produire un effet harmonieux, de sérénité et de bien-être.

Ces arrangements étaient également souvent utilisés, particulièrement dans le Baroque, pour produire l'effet contraire, un monde de sentiments très contrastés, voire dramatiques. Toutefois, très peu de peintres se manifestèrent dans ce sens. Rembrandt le fit d'une façon surprenante, notamment dans l'une de ses œuvres les plus louées par la critique : *Le Bœuf écorché*.

Cette œuvre représente sans nul doute une démonstration de force dans le domaine du dessin et de maîtrise de la lumière dans la transposition formelle. La structure droite en bois sur laquelle est suspendue le bœuf écorché confère de la gravité à l'image. Cette sensation de poids convertit l'œuvre en une magnifique et impressionnante métaphore de la mort. ■

Autoportrait (à la chemise brodée)

1640

Huile sur toile
100 x 80 cm
National Gallery, Londres (Angleterre)

Les critiques s'accordent à dire que, derrière cet autoportrait de Rembrandt, se cache l'empreinte du portrait que le peintre italien Raphaël avait fait de Baldassare Castiglione, l'un des personnages les plus emblématiques de la Renaissance italienne. Après avoir connu une vie mondaine en tant que militaire et fonctionnaire laïque, Castiglione avait mené une carrière ecclésiastique. Il arriva à être nonce papal à la Cour de Charles V, sans abandonner toutefois son goût pour les femmes et la bonne chair. Castiglione écrivit *Le Livre du courtisan*, un véritable manuel sur les vertus du galant et sur l'idéal platonique amoureux.

À en juger par sa tenue vestimentaire, il semble que Raphaël fit le portrait de son bon ami Castiglione pendant un voyage à Rome au cours de l'hiver 1515. Dans le portrait de Raphaël, l'auteur du *Livre du courtisan* porte un pourpoint de fourrure grise et de cuir sur le revers des poignets et du col, la tête couverte d'un chapeau à la mode.

Un procédé similaire est observé dans cet *Autoportrait à la chemise brodée* de Rembrandt. Le peintre hollandais est également présenté avec un chapeau à la mode et, en outre, dans une pose similaire à celle de Castiglione, le bras reposant sur le cadre. La disposition et le traitement de la manche rappellent certaines touches baroques, comme le fait de dépasser du cadre et d'avancer vers le monde du spectateur. Ce recours renvoie au « dépassement » de la plastique baroque, pour laquelle les limites de l'espace deviennent étroites et problématiques.

Rembrandt déroule le jeu du clair-obscur, spécialement en arrière-plan. D'un coup de maître, il réussit à faire qu'une même diagonale de lumière réunisse le regard, ce qu'il observe, et la main, ce qu'il exécute. Dans cet autoportrait, Rembrandt est présenté avec sérieux, et même une certaine solennité, à la différence des autoportraits antérieurs dans lesquels il se montrait jovial.

En 1640, année de cet *Autoportrait à la chemise brodée*, le génie hollandais était frappé par deux évènements malheureux : en juillet, son épouse Saskia donna le jour à une seconde fille, baptisée Cornelia en hommage à sa grand-mère paternelle, qui décéda peu de temps après. De même, l'artiste subit une autre perte grave en septembre, celle de sa mère, à Leyde. ■

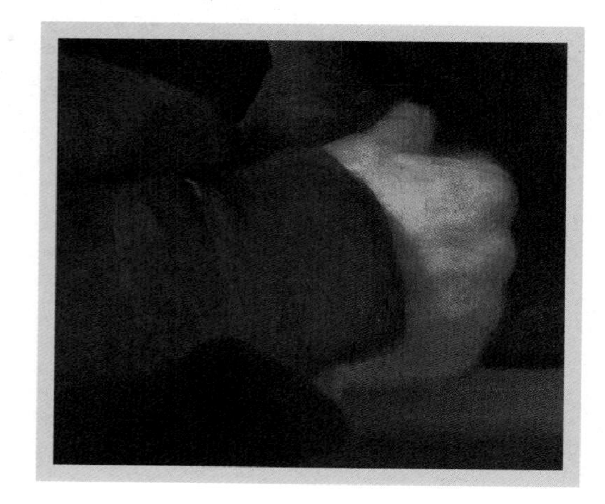

Le théâtre du monde
Le bras de Rembrandt s'appuie sur le bord d'une balustrade ou d'un cadre, dont pendent quelques plis du manteau. L'effet est d'une théâtralité absolue : Rembrandt se montre au spectateur comme s'il jouait son propre rôle. Ce fait est propre au Baroque, qui assimile la vie même au théâtre, comme traité dans *Le Grand théâtre du monde* par Calderón de la Barca.

La Ronde de nuit

1642

Huile sur toile
359 x 438 cm
Rijksmuseum, Amsterdam (Pays-Bas)

Cette œuvre, l'une des plus célèbres de Rembrandt, fut soumise à diverses modifications suite à plusieurs déplacements. Peinte à l'origine sur trois bandes horizontales de toile pour la corporation des arquebusiers et destinée à la grande salle du Kloveniersdoelen, caserne générale de la Garde Civile située dans la Nieuwe Doelensstraat d'Amsterdam, les dimensions initiales du tableau devaient être de 388 x 479 centimètres.

En 1715, l'œuvre fut transférée dans la petite salle du Tribunal militaire, au deuxième étage du Nieuwe Stadhuis, qui est aujourd'hui le Palais royal. Afin d'être placée sur un mur entre deux portes, la toile fut réduite d'environ 25 centimètres dans le sens vertical, surtout sur le flanc supérieur, c'est pourquoi l'arc de l'arrière-plan est aujourd'hui coupé. Le bas fut légèrement moins sectionné, mais suffisamment pour éliminer la frange du pavement sous le pied du protagoniste, qui frôle aujourd'hui la limite de la toile. D'autre part, plus de 30 centimètres ont été coupés à gauche et 10 de plus à droite.

Début 1808, lorsque Napoléon déclara qu'il désirait prendre possession du Stadhuis pour le transformer en palais royal, la toile fut transférée par prudence dans un autre édifice, le Trippenhuis, qui est aujourd'hui le siège de l'Académie

des Sciences, des Lettres et des Arts, et confiée à la garde du marchand C.S.Roos. Réclamée par Napoléon en personne, elle revint au Stadhuis où elle resta jusqu'en 1814, moment de l'effondrement de l'Empire napoléonien. Après être devenu le Palais royal, toutes les œuvres d'art qui se trouvaient au Stadhuis, dont *La Ronde de nuit*, furent transférées au Trippenhuis, converti en musée. En 1885, l'œuvre fut placée au Rijksmuseum, où elle se trouve encore aujourd'hui.

La mutilation de la toile fit disparaître du tableau original les personnages de deux hommes et une enfant peints par Rembrandt sur le côté gauche, ainsi qu'une partie de l'image du timbalier, sur le côté droit. Une vision complète du tableau original est conservée grâce à une aquarelle de 14,5 x 19 centimètres, peinte avant 1665 dans un album de famille du capitaine Cornelis Bicker, le protagoniste central du tableau.

Selon une déclaration faite quinze ans après la réalisation de l'œuvre, pour réaliser ce tableau, Rembrandt aurait perçu près de mille six cent florins de l'une des personnes apparaissant sur le portrait, le commerçant en tissus Jan Pietersen Bronchorst. La somme fut réunie à travers les apports individuels des seize personnages qui apparaissent dans le tableau. L'une après l'autre, les seize personnes étaient venues dans l'atelier du peintre pour qu'il réalise leur portrait et que Rembrandt puisse, plus tard, faire librement le montage. Les autres personnages, comme les enfants, ont été ajoutés par le peintre sans autre compensation pécuniaire. Il y inclut également son propre autoportrait et un chien. Ces éléments furent créés par le peintre pour remplir les vides et pouvoir compléter la composition générale.

Le traitement de la lumière donne un aspect énigmatique aux petits personnages centraux. Il s'agit de deux images fulgurantes : l'enfant au premier plan porte à la ceinture un coq, ce qui engendra tout type d'interprétations fantastiques au fil du temps ; l'enfant qui court, à gauche, porte une corne à poudre, image également difficile à expliquer.

L'excellent nettoyage de l'œuvre, réalisé en 1946 par H.H. Martens, permit de confirmer que, en dépit du titre *La Ronde de nuit*, l'action représentée par Rembrandt se déroule en plein jour. En réalité, elle décrit davantage un défilé festif qu'une ronde de garde formelle. Pour cela, dans un mouvement général dynamique, vingt-huit adultes et trois enfants ainsi qu'un chien se déplacent de façon désordonnée dans le tableau, donnant au spectateur une sensation de confuse vivacité. Les fulgurants changements de lumière et de couleur, la subtile évidence portraitiste de tous les personnages et la totale maîtrise de la composition confèrent à cette œuvre un caractère exceptionnel. Sa réalisation concorde de toute évidence avec un moment de plénitude créative du peintre de génie.

C'est ainsi que le comprirent ses contemporains et, davantage encore, les peintres et critiques de la génération suivante. À peine trente-six ans après que Rembrandt ait peint *La Ronde de nuit*, Samuel van Hoogstraten, dans son célèbre *Traité de l'art*, écrivit : « Rembrandt œuvra excellemment dans son tableau sur la milice d'Amsterdam, et bien que dans l'opinion de beaucoup il alla trop loin, faisant plus le tableau selon son goût personnel qu'en fonction des portraits individuels qu'on lui avait commandés. Néanmoins, peu importe la dureté des critiques, le tableau restera selon mon jugement, contre tous ces rivaux car il est tellement pittoresque dans sa conception et si puissant que, selon quelques uns, toutes les autres œuvres des doelen [alors dans le Kloveniersdoelen] ont l'air de cartes de jeux en comparaison. »

Le critique d'art Samuel van Hoogstraten ne se trompait certainement pas. ■

1. Clin d'œil humoristique du peintre. Derrière l'homme qui hausse l'étendard, dans un troisième ou quatrième plan à peine visible, se trouve un homme de petite taille. Sa casquette lui couvre un œil et une grande partie du front. Il s'agit sans aucun doute de Rembrandt !

2. Une milice improvisée. La milice représentée était constituée de braves bourgeois d'Amsterdam, guidés par la volonté, non pas par la discipline. Les piques s'entrecroisaient sans ordre, à la différence des célèbres lances peintes par Vélasquez. Le comble est la longue hampe qui se croise en diagonale. Cela répond toutefois à une fonction visuelle car elle conduit le regard du spectateur vers le centre et hors de la scène.

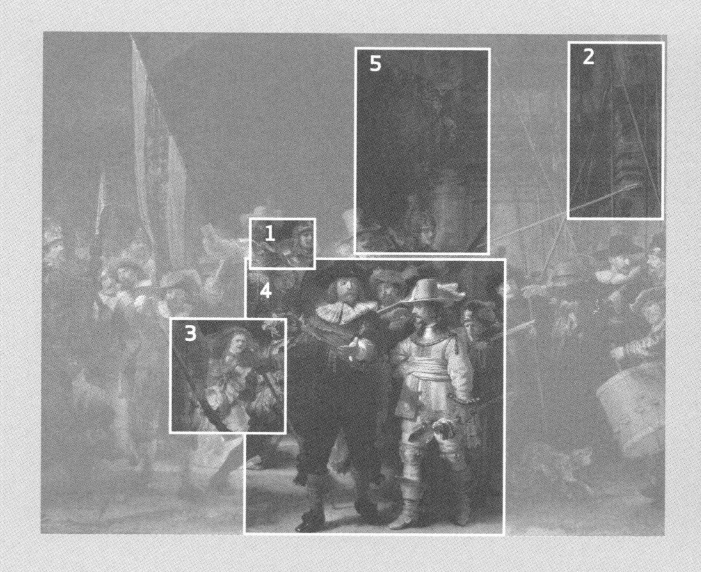

3. Quelques énigmes. L'enfant incluse dans le tableau renferme certains mystères. Par exemple, bien que ce soit une enfant, son visage présente des traits adultes. Que signifie le coq accroché à sa ceinture ? En observant bien, les pattes sont travaillées avec grande minutie. Pour les critiques, il s'agit de l'emblème d'une ancienne compagnie de tir d'Amsterdam : celle des Kloveniers. Kloven signifie « culasse de fusil », mais provient de Klauw, qui signifie « griffe ». Serait-ce ironique ? Rembrandt assimilerait-il une griffe à une patte de poule ?

4. Deux grands protagonistes. Le personnage central de la scène est le capitaine Frans Banningh Cocq. On remarque son costume sombre orné d'une ceinture rouge orangée, qui contraste avec son imposant col de dentelle. D'un geste décidé, il donne un ordre à son lieutenant Willem van Ruytenburch, vêtu d'un costume brodé. Sur la partie basse de son élégante veste, l'ombre de la main étendue du capitaine est projetée. Il n'y a pas de doute concernant la personne qui commande.

5. Une référence architecturale. La scène se passe face à un profond vestibule auquel on accède par une entrée dominée par un arc. Cachée derrière les piques et les hampes, on aperçoit la porte de l'édifice où était logée la compagnie. À l'origine, l'œuvre de Rembrandt y était exposée. Ainsi, le peintre n'oubliait pas d'effectuer une reconnaissance institutionnelle.

Le Christ et la femme adultère

1644

Huile sur toile
84 x 65,5 cm
National Gallery, Londres (Grande-Bretagne)

Dans le Nouveau Testament, l'Évangile selon saint Jean (XVIII, 1-11) dit : « Jésus s'était rendu au mont des Oliviers ; de bon matin, il retourna au temple de Jérusalem. Comme tout le peuple venait à lui, il s'assit et se mit à enseigner. Les scribes et les pharisiens lui amenèrent une femme, surprise en train de commettre l'adultère. Ils la firent avancer, et dirent à Jésus : "Maître, cette femme a été prise en flagrant délit d'adultère. Or, dans la Loi, Moïse nous a ordonné de lapider ces femmes-là. Et toi, qu'en dis-tu ?" Ils parlaient ainsi pour le mettre à l'épreuve, afin de pouvoir l'accuser. Mais Jésus s'était baissé et du doigt, il traçait des traits sur le sol. Comme on persistait à l'interroger, il se redressa et leur dit : "Celui d'entre vous qui est sans péché, qu'il soit le premier à lui jeter la première pierre." Et il se baissa de nouveau pour tracer des traits sur le sol. Quant à eux, sur cette réponse, ils s'en allaient l'un après l'autre, en commençant par les plus âgés. Jésus resta seul avec la femme en face de lui. Il se redressa et lui demanda : "Femme, où sont-ils donc ? Alors, personne ne t'a condamnée ?" Elle répondit : "Personne, Seigneur." Et Jésus lui dit : "Moi non plus, je ne te condamne pas. Va et désormais ne pèche plus." »

Il s'agit du passage recréé par Rembrandt dans *Le Christ et la femme adultère*. Si l'on observe bien, il est évident que la toile est composée de deux bandes horizontales. Dans la partie inférieure, se déroulent l'action humaine mais aussi l'action divine, le Christ étant présent. Dans la partie supérieure, occupée par la structure du Temple, une masse immense pèse sur la partie inférieure. La colonne centrale de l'édifice accentue l'impression oppressante et semble viser de façon directe et lapidaire la femme adultère.

En opposition avec la verticalité hiératique du Temple, les personnages humains sont représentés à l'horizontale, dans un plan immédiat, plus proche du spectateur, et dans un autre plan qui, en haut, se confond avec le Temple. Afin de souligner le caractère terrestre du thème, des femmes et enfants sont représentés sur la gauche dans des scènes de la vie quotidienne. Pour évincer tout doute quant à l'interprétation de cet épisode évangélique par Rembrandt, la lumière se concentre sur la femme adultère, reléguant au second plan la figure du Christ. ■

La pureté du pécheur
Toute la lumière de cette scène solennelle créée par Rembrandt, dans le grand Temple de Jérusalem où se trouve le Christ, se concentre précisément sur la femme adultère, incarnation du péché qui ne doit pas seulement être chassée du Temple mais lapidée, c'est-à-dire expulsée de la vie. Rembrandt habille la pécheresse de blanc, couleur de la pureté par excellence.

Jeune fille sur le seuil

1645
Huile sur bois
100 x 84 cm
Art Institute,
Chicago (États-Unis)

Selon les critiques, le modèle qui inspira à Rembrandt ce portrait de *Jeune fille sur le seuil* fut Hendrickje, sa gouvernante qui, d'une certaine manière, occupa le vide laissé dans le cœur du peintre à la mort de Saskia. Curieusement, dans d'autres tableaux où Hendrickje servit de modèle, la situation figurative est très similaire, celle d'une femme qui apparaît à une porte ou à une fenêtre, *Hendrickje à une porte ouverte* ou *Hendrickje à sa fenêtre*.

Dans un autre tableau, *Hendrickje au lit*, la femme qui ouvre un rideau est également peinte penchée à une fenêtre. Roger de Piles (1635-1709), marchand et critique d'art qui fut également représentant de la France à Amsterdam, raconta dans ses mémoires l'anecdote suivante : « Pour s'amuser, Rembrandt fit un jour un portrait de sa gouvernante pour l'exposer à une fenêtre et tromper les passants [il fait référence à Hendrickje à sa fenêtre]. La supercherie réussit et ne fut découverte que quelques jours plus tard. Comme on peut l'imaginer avec Rembrandt, ce ne fut ni la beauté du dessin ni la noblesse de l'expression qui produisit pareil effet. Lorsque je me trouvai en Hollande, je fus curieux de voir ce portrait. Il était la démonstration d'un maniement du pinceau si excellent et d'une force si grande que je l'achetai. »

Dans ce portrait de *Jeune fille sur le seuil,* Rembrandt eut de nouveau recours à l'effet de « double cadre » : celui du tableau lui-même et celui de la fenêtre ou de la porte peinte dans le tableau. La figure féminine se montre, mais son attitude est fuyante. Tout son corps fait face au spectateur, mais son regard est nettement dirigé vers la droite. Le visage dénote à la fois la tension et une certaine dureté, tout comme sa main gauche, appuyée sur l'encadrement.

La lumière accentue l'atmosphère d'incertitude. En effet, Rembrandt n'éclaire pas l'ensemble du visage, mais seulement le côté droit de la figure. La lumière tombe de manière singulière sur le front, particulièrement large, ce qui confère à la protagoniste un caractère plus cérébral qu'émotif. Dans un jeu exquis de clair-obscur, on entrevoit un éclat dans le dos de la femme, comme s'il provenait de l'intérieur de la demeure. Quant au reste, en particulier la robe, il est prédominé par l'obscurité. ■

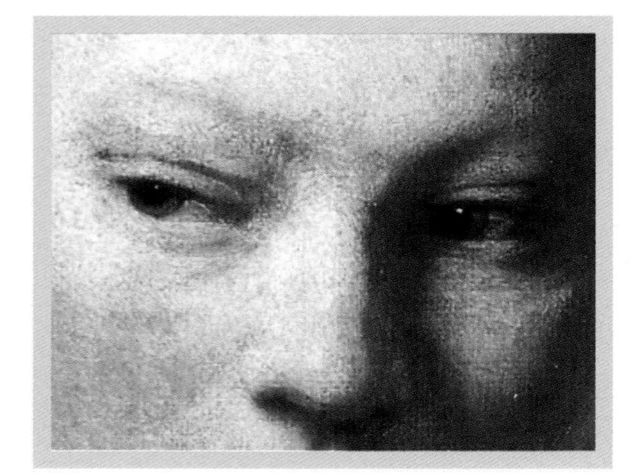

Les procédés du mouvement
L'attitude fuyante de la jeune fille est générée par divers éléments, notamment le regard dirigé vers sa droite. De même, le sourcil droit arqué accentue l'impression de mouvement, renforcée par la légère inclinaison de la tête sur l'épaule gauche, qui détermine l'inclinaison de la ligne des yeux.

La Sainte Famille

1645
Huile sur toile
117 x 91 cm
L'Ermitage,
Saint-Pétersbourg (Russie)

Rembrandt consacra plusieurs tableaux au thème de la Sainte Famille. La présente œuvre est connue sous différents titres, comme *La Sainte Famille avec des anges* ou *La Sainte Famille dans l'atelier de menuiserie*. Ce thème biblique inspira certainement au peintre un esprit poétique prononcé, empreint d'un profond humanisme. Cette vision du monde laisse deviner la marque d'un pays imprégné de la pensée de Descartes et de Spinoza.

Sans l'apparition des anges qui se faufilent par la fenêtre, depuis l'angle supérieur gauche d'où provient la lumière et, une certaine idéalisation qui émane du visage de la Vierge, peu d'éléments différencieraient cette scène biblique d'une scène éminemment quotidienne. En effet, Joseph apparaît absorbé par son travail de menuisier, tandis que son épouse, assise près du feu, lit tout en veillant sur son fils endormi dans son berceau.

Ce tableau nous fait spectateurs de l'humble intimité d'un foyer. Malgré le halo de mystère qui enveloppe cette toile (renforcé par la présence des anges), la peinture démontre la géniale maestria de Rembrandt pour élever le quotidien au rang des expériences surnaturelles et divines. La structure sous-jacente de la composition révèle la brillante étude réalisée préalablement, qui servit à calculer l'effet de la lumière, les lignes, les volumes et le dynamisme. En effet, le génie hollandais esquisse les figures et, dans un habile calcul de la profondeur, établit avec précision leur emplacement dans quatre plans caractéristiques : l'Enfant Jésus, la Vierge, les anges, et au fond, Joseph.

En suivant son plan, ébauché dans différents dessins conservés, Rembrandt présente l'intérieur de l'atelier de menuiserie comme un jeu magique d'ombres et de lumières, sans omettre de détails aussi réels que le berceau et le feu. Curieusement, Rembrandt a recours à ce strict réalisme pour accentuer l'atmosphère dominante de profonde spiritualité. Les coups de pinceaux sont appliqués de façon à transmettre la couleur, la forme et la texture dans le ton dominant. Les couleurs, le rouge, le vert, l'or et l'ocre, cohabitent en parfaite harmonie, en dépit de la grande variété et de la richesse des multiples nuances. ■

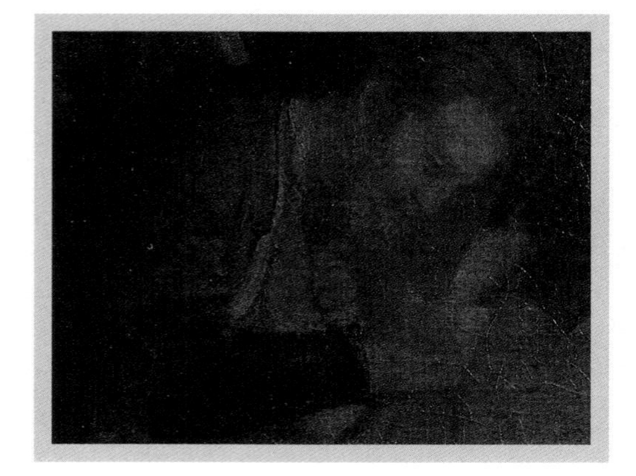

Une manière d'être présent
Au fond de la scène, Joseph le menuisier semble absorbé par son travail. Autour de lui sont représentés les outils qu'il utilise habituellement. Pour montrer que Joseph n'en est pas pour autant déconnecté de ce qui se passe dans son dos, Rembrandt met en scène des angelots qui pénètrent dans la demeure à sa hauteur et occupent la moitié supérieure de la toile.

Portrait de vieillard

1645

Huile sur toile
128 x 112 cm
Fondation Calouste Gulbenkian, Lisbonne (Portugal)

Dans ce *Portrait de vieillard*, comme dans tant d'autres représentations d'hommes d'âge avancé (*Jérémie pleurant la destruction de Jérusalem* est peut-être la toile la plus caractéristique du genre), le modèle le plus fréquemment utilisé par Rembrandt fut son propre père, le célèbre meunier.

Bien qu'il soit assis, le vieillard s'appuie sur son bâton. Son tronc est légèrement incliné vers l'avant et le centre de la poitrine semble reposer sur l'extrémité du bâton. Cette disposition, au centre de la toile, transmet une certaine gravité et une sensation de poids, celui des années, probablement.

L'ensemble de la configuration de l'espace révèle une maîtrise magistrale du clair-obscur. Une minutieuse observation révèle que le fond, en particulier la moitié supérieure du tableau, représente un jeu d'ombres et de lumières, dans lequel se meuvent des masses difficiles à définir. Cette « imprécision » de la figure est délibérée : la vieillesse représente bien plus qu'un moment de la vie à un moment déterminé et il s'agit bien là d'une étape de la vie en général. Au fond, les masses du clair-obscur se confondent avec le dossier du fauteuil et les plis des vêtements du vieillard. Cette « confusion » n'est pas non plus fortuite : le clair-obscur de la technique s'entremêle aux lumières et aux ombres, de plus en plus sombres, qui enveloppent le vieillard, comme individu et comme symbole.

La lumière, qui oscille entre une clarté très faible et une pénombre crépusculaire, se concentre sur deux zones : le visage et les mains, liés verticalement au centre de la toile. Rien dans la peinture de Rembrandt n'est un hasard. En effet, le visage dont l'expression demeure à la limite de la tristesse, est dominé par un regard perdu dans le lointain. Les yeux semblent voir uniquement ce que personne ne voit, à savoir ce qui est au-delà de l'immédiat. En revanche, les mains, le premier et le plus essentiel des outils de l'être humain, montrent les traces de la contingence : le travail, la vie de tous les jours, la lutte quotidienne.

La représentation de la lumière n'est pas non plus fortuite. Curieusement, elle se concentre sur le poignet visible de la chemise. Ce vêtement est sans doute ce qu'il y a de plus près du corps et, de ce fait, il conservera l'ultime tiédeur de la chair avant qu'une autre chemise, la définitive, enveloppe le vieillard pour son dernier adieu. ■

La lumière dans les mains
La lumière de la toile se concentre sur le visage du vieillard mais le peintre a également choisi d'éclairer ses mains, travaillées avec une attention particulière. La minutie avec laquelle sont représentées les veines sous la peau montre que Rembrandt a hiérarchisé cet élément. S'agirait-il d'un hommage du peintre à une vie de travail, prônée par la Réforme ?

Le Moulin

1645-1648
Huile sur toile
87,5 x 105,5 cm
National Gallery of Art, Washington (États-Unis)

Le paysage en tant que genre, peu traité par Rembrandt, soulève la question de sa réalisation en atelier ou à l'air libre. Dans l'inventaire de 1656, figurent plusieurs chevalets et boîtes de peintures portables et dans la liste des peintures se trouvant dans l'atelier, il est fait mention d'« un paysage » et « quelques maisons » et de deux œuvres « peintes au naturel ».

Quoi qu'il en soit, Rembrandt fut surtout un peintre d'atelier. Cela n'empêche pas que beaucoup de ses dessins, surtout les paysages, aient été esquissés lors de ses promenades aux alentours d'Amsterdam.

Comme l'on sait bien, Rembrandt était fils d'un meunier. Il est donc fort probable que le thème du *Moulin* eut en lui des échos personnels particuliers, comme en témoigne notamment le traitement plastique du tableau. Seules les ailes sont illuminées par une lumière dorée, presque mythique. Mais la masse structurelle du moulin, qui se découpe dans le ciel, reste dans l'ombre. En contraste, les nuages en haut et la rivière en bas sont marqués par la dernière clarté de l'après-midi. Ces deux éléments parallèles représentent ce qui est éternellement passager. Ainsi, la barque, qui avance vers l'extérieur du tableau, est chargée d'un symbolisme intense. ■

Bethsabée au bain tenant la lettre de David

1654

Huile sur toile
142 x 142 cm
Musée du Louvre, Paris (France)

Dans l'Ancien Testament, Bethsabée, « la septième fille » ou la « fille du serment » en hébreu, fut l'épouse de Urie le Hittite puis du roi David, suite à un stratagème employé pour conduire la femme à l'adultère. De l'union de David et de Bethsabée, véritable symbole du péché selon les préceptes du décalogue, naquît le roi Salomon, symbole de la poésie et de la sagesse par excellence.

Cette association du pêché et de la vertu est le prémisse du traitement de l'adultère par le Christ dans l'Évangile selon saint Jean (XVIII, 1-11). De par sa condition de Messie, le Christ revendique son appartenance à la lignée du roi David. Dans l'Évangile selon saint Mathieu (I, 6), Bethsabée figure expressément comme ancêtre de Jésus.

Le deuxième livre de Samuel (XI à XII, 25) narre l'épisode où le plan du roi David échoua quand Dieu envoya le prophète Nathan lui annoncer sa condamnation au travers d'une parabole. David fut ridiculisé lorsqu'il déclara solennellement : « L'homme responsable de cela mérite la mort ! ». La réponse de Nathan fut accablante : « Tu es cet homme ! »

Selon la Bible, la succession d'intrigues, d'assassinats et de combats internes, voire de guerre civile qui suivirent, furent une punition que Dieu imposa à David pour le crime commis contre Urie et pour l'adultère avec Bethsabée.

Ainsi, Rembrandt pouvait choisir parmi de nombreux sous-thèmes aux contenus divers et variés : des guerres, des messages moralisateurs, des scènes d'exemple, etc... Le peintre dut choisir parmi les moments de la saga bigarrée des évènements, ceux qu'il allait représenter sur la toile.

Mais curieusement, pour représenter une histoire remplie de conflits et de passion, Rembrandt opta pour une atmosphère de sérénité. La lumière fait ressortir la beauté de Bethsabée, comme dans les meilleurs nus de Rubens, et son visage exprime le doute. Son manque de communication avec la servante plongée dans l'ombre, souligne son intromission et engendre un climat de sensualité, de bonté et de silence.

Comme le signale le philosophe John Berger, « la silhouette est assise, nue, réfléchissant sur son destin. Le roi l'a vue et la désire. Son mari est loin, à la guerre. Combien de milliers de fois cette situation s'est-elle répétée ? Agenouillée face à elle, sa servante lui sèche les pieds. Elle n'a d'autre choix que de se présenter au roi. Elle tombera enceinte. Le roi David fera tuer son mari. Elle le pleurera. Elle se mariera avec le roi David et lui donnera un fils, le roi Salomon. La fatalité s'est déclenchée mais au cœur de cette histoire demeure le fait que Bethsabée est une épouse désirable. » Même au bord du pêché et de la tragédie, Bethsabée est objet d'amour. ■

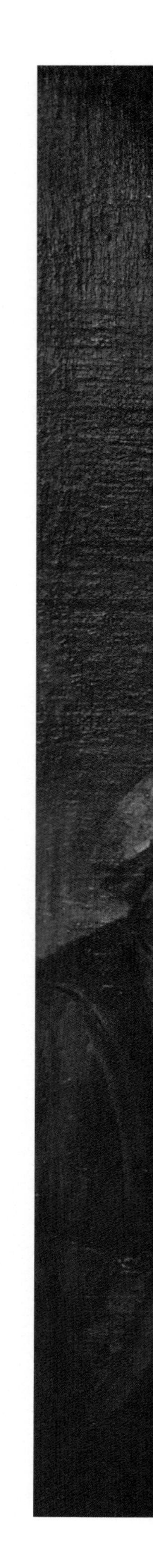

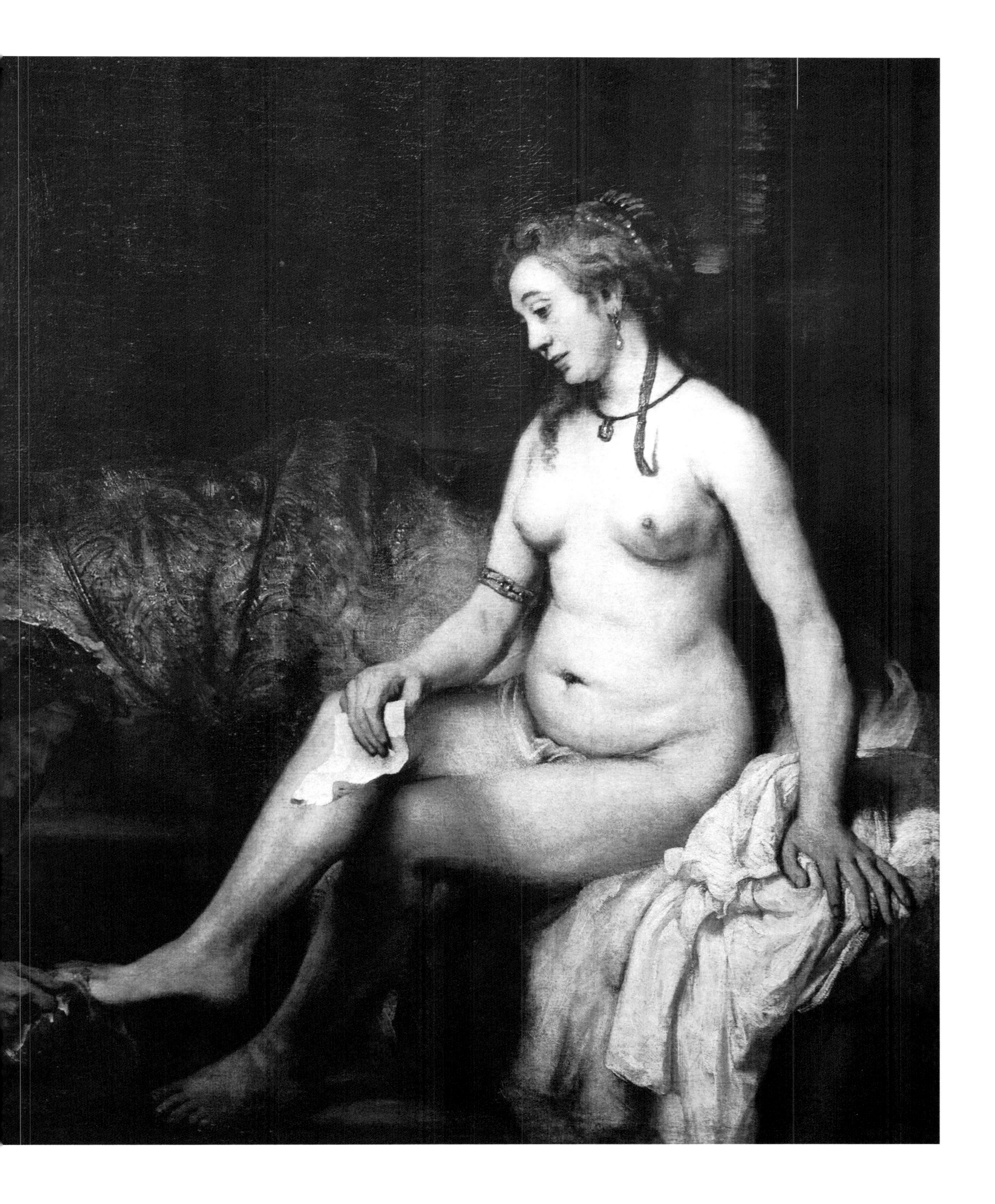

Femme se baignant dans une rivière

1655

Huile sur toile
62 x 47 cm
National Gallery, Londres (Angleterre)

À l'instar du genre paysager, le nu ne fut que peu traité par Rembrandt. Au sein de sa production, le nu fut représenté fondamentalement comme un thème en lui-même, mais souvent en guise de récréation des sujets religieux ou mythologiques.

Malgré sa fidélité à la tradition de la Renaissance qui considérait le nu comme un fondement de la formation artistique, Rembrandt se rendit compte que la peinture classique se dirigeait vers un académisme qui préférait les règles et les principes avant toute autre considération. Dans ce sens, il suivit une route indépendante, s'éloigna des nus de Titien et opta pour un réalisme sans conventionnalisme.

Vers la moitié des années 1640, comme en témoigne bon nombre de ses esquisses et dessins, Rembrandt réussit, dans le traitement du nu féminin, un équilibre remarquable entre la concrétisation des formes du corps et le jeu d'ombres et de lumières.

Dans la décennie suivante, celle qui vit naître *Femme se baignant dans une rivière*, Rembrandt se désintéressa de la mise en valeur du corps ou la délimitation de ses formes. Il privilégia une image monumentale du nu, surtout féminin, créé pour un équivalent bien plus abstrait que pour le contour conventionnel.

Dans la représentation du nu de Rembrandt, la figure féminine est montrée baignée par la lumière. Les lignes douces exécutent l'essentiel des formes. Presque dans tous les cas, il imprime une touche de réalisme à l'œuvre, mais seulement afin de faire ressortir certains détails, comme s'il ne voulait pas oublier que l'imagination doit maintenir des liens essentiels et très fermes avec la réalité. C'était également une manière d'impliquer le spectateur dans une vision particulière de l'art.

Cette « concession à la réalité » ne le fit pas revenir du tout à l'académisme. Ainsi Sandrart, un théoricien du classicisme le plus strict, affirma : « [Rembrandt] ne craignit pas de combattre et de contredire nos règles de l'art, comme le respect de l'anatomie et des proportions du corps humain, la perspective, l'étude des sculptures anciennes ». Cette *Femme se baignant dans une rivière* n'a rien ou peu à voir avec les règles classiques. La protagoniste ne prétend aucunement à la « perfection » et ne fait que regarder vers le bas, là où ses pieds se prolongent dans un reflet tremblant. ■

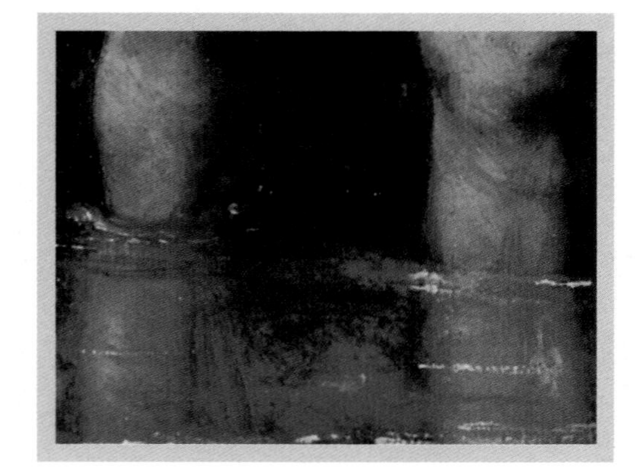

Le reflet dans le courant
Le regard incliné vers le bas de la jeune femme invite à suivre son cours. Bien qu'elle regarde minutieusement là où elle va, le spectateur observe, lui, la partie inférieure du tableau. Il y trouve le bout des pieds de la jeune femme dans l'eau et leur vague reflet sous la surface. La transparence du courant consacre le mouvement de la scène représentée.

Jacob bénissant les fils de Joseph

1656
Huile sur toile
177,5 x 210,5 cm
Staatliche Museen, Gemäldegalerie, Kassel (Allemagne)

Rembrandt peignit de manière dramatique aussi bien les épisodes bibliques ou mythologiques, que les portraits, les natures mortes et les paysages. Ce dramatisme explique le dynamisme plastique qu'il réussit à imprimer à toutes ses compositions. C'est pourquoi, il ne se limita jamais à l'« illustration » des faits et capta leurs sens les plus profonds.

Dans *Jacob bénissant les fils de Joseph*, Rembrandt aborde l'histoire de l'Ancien Testament selon laquelle, après l'avoir cru mort de nombreuses années, et lui-même, proche de la mort, le patriarche Jacob retrouve son cher fils Joseph. La bénédiction des fils de Joseph, ses petits-enfants, constitue la fermeture d'une plaie ancienne et douloureuse.

La bénédiction de Jacob, sur son lit de mort, possède un air d'adieu. Son visage respire bonté et tendresse. Joseph et son épouse se joignent au sentiment de Jacob, mais ils transmettent aussi du bonheur. L'aîné des petits-enfants se penche sous la main qui lui effleure la tête et ses bras croisés indiquent qu'il perçoit la solennité du moment. Le benjamin s'en désintéresse, mais seulement en apparence. La lumière les sauve tous du fond sombre et les entoure : les silhouettes forment un cercle qui tourne lentement. Cette fois, le résultat dramatique est le calme et la paix qui inondent le tableau. ■

Moïse avec les Tables de la Loi

1659
Huile sur toile
167 x 135 cm
Staatliche Museen, Gemäldegalerie, Berlin (Allemagne)

Dans l'Ancien Testament, le livre de l'Exode (XXXII, 20) dit : « Lorsque Moïse s'approcha du camp, il vit le veau et les danses ; et la colère de Moïse s'embrasa, et il jeta de ses mains les tables et les brisa au pied de la montagne. Et il prit le veau qu'ils avaient fait, et le brûla au feu, et le moulut jusqu'à ce qu'il fut en poudre ; puis il le répandit sur la surface de l'eau. »

Conformément aux indications laissées par Rembrandt, ce passage de l'*Exode* est celui qui l'inspira pour la réalisation de cette œuvre. Il représente Moïse au moment où il s'apprête à briser les Tables de la Loi. Les évènements qui précèdent sont connus du spectateur : la rencontre de Moïse et de Dieu, puis la réconciliation de Moïse avec le peuple d'Israël et son intercession face à Yahvé. Rembrandt opte pour l'instant précédent le fait le plus violent et catastrophique, celui où Moïse brise les Tables de la Loi.

Dans ce tableau, les Dix Commandements sont lisibles en hébreu sur les Tables de la Loi. Le texte fut probablement recopié de la *Thora* qu'un juif aurait prêté à Rembrandt, peut-être son ancien ami le cabaliste Menashe ben Israel. Bien que l'écriture soit correcte, les lettres ont un aspect clair d'« imperfection », car elles sont manuscrites. Dans ce sens, l'écriture se joint au mouvement chaotique évident de la composition qui laisse deviner que les Tables sont sur le point d'être lancées.

Le sens conceptuel se dégage de la perception visuelle de l'œuvre d'art. Le public se voit obligé à participer sensiblement afin de « comprendre » raisonnablement ce qui se passe. Au travers de la composition de ses tableaux, Rembrandt confère au spectateur un rôle constitutif. Parfois, comme dans ce cas, les tableaux semblent « non conclus », mais ce n'est qu'une invite pour que le spectateur se laisse impliquer.

Si l'on observe l'arrière-plan de Moïse avec les Tables de la Loi, les roches du Mont Sinaï, d'où le prophète descend, semblent tourner dans une confusion désordonnée. De même la tête de Moïse, ses vêtements, ses bras, sa barbe et ses cheveux, tout répond à des courbes qui se croisent et s'emballent. Le seul élément où sont conservées les lignes droites est, justement, les Tables de la Loi. ■

Sous la dictée de Dieu
Il est indubitable que Rembrandt étudia dans tous ses détails comment reproduire la graphie hébraïque, non seulement pour ne pas commettre d'erreurs orthographiques (les Juifs d'Amsterdam du XVIIe siècle ne le lui auraient pas pardonné) mais également afin de reproduire les lettres comme quelqu'un qui écrit dans des circonstances spéciales. Rembrandt n'avait pas oublié qu'au Sinaï, Moïse écrivait sous la dictée de Dieu.

Les Syndics des drapiers

1662
Huile sur toile
191,5 x 279 cm
Rijksmuseum, Amsterdam (Pays-Bas)

Comme les deux *Leçons d'anatomie* et *La Ronde de nuit* réalisées sur commande respective des corporations de chirurgiens et d'arquebusiers, *Les Syndics des drapiers* fut le fruit d'une commande de la corporation des fabricants de draps d'Amsterdam. Dans ce montage réalisé à partir de portraits individuels préalables, la lumière organise le mouvement cassé qui souligne les visages et les mains, en contraste avec les lignes droites de la table et le mur du fond.

Dans l'ensemble se trouvent ceux qui, vers 1662, arboraient les charges de la corporation. Leur fonction consistait à exercer le contrôle des tissus et l'examen des échantillons. Dans le tableau, les syndics rendent des comptes et chaque visage a une expression différente. Leurs charges respectives sont indiquées par divers éléments : le livre ouvert sur lequel Willem van Doeyenburg appuie sa main comme en cours d'explication et sur lequel également le personnage assis à sa droite semble marquer la page ; la bourse d'argent du trésorier, à droite du tableau ; le livret de notes avec lequel, à moitié levé, Volckert Jansz s'appuie sur la table. Quant à Frans Hendrickert Bel, représenté debout, au fond du tableau, la tête découverte, il s'agit de l'administrateur. ■

La Fiancée juive

1665
Huile sur toile
121,5 x 166,5 cm
Rijksmuseum, Amsterdam (Pays-Bas)

Également connu sous le titre de *Isaac et Rebecca*, selon un thème biblique, ce tableau, plus souvent intitulé *La Fiancée juive,* fut sujet à plusieurs interprétations de la part des critiques. Certains soutiennent qu'il s'agit de l'adieu d'un père à sa fille avant la célébration de la noce. D'autres, en revanche, attirent l'attention sur le fond du tableau et signalent la présence d'une fontaine. Le tableau pourrait donc bien représenter le moment où, selon l'Ancien Testament, caché derrière une citerne, Abimelec, père de Rebecca, écoute la conversation qu'entretient celle-ci avec le patriarche Isaac.

Ce qui est sûr c'est qu'il s'agit d'un homme mûr et d'une jeune fille qui s'appuie sur lui. Le personnage masculin se penche sur la jeune fille et lui met une main sur l'épaule et une autre sur la poitrine. Curieusement, les regards ne se rencontrent pas, par pudeur ou parce que chacun tisse ses propres pensées.

Mais le lien entre les deux est indéniable : confiante, la main de la jeune fille se pose sur celle de l'homme. Dans *La Fiancée juive*, les visages et la situation en elle-même semblent tellement individualisés, que tout fait penser à l'existence préalable de deux modèles. Il pourrait s'agir de Titus, fils de Rembrandt, et de sa fiancée Magdalena van Loo. ■

Portrait de famille

1668-1669
Huile sur toile
126 x 167 cm
Staatliches Herzog Anton Ulrich Museum, Braunschweig (Allemagne)

Les critiques s'accordent à penser qu'il s'agit d'un portrait de sa propre famille réalisé par Rembrandt. Les personnages sont probablement sa belle-fille, Magdalena van Loo, veuve de Titus, sa petite-fille Titia ainsi que Cornelia, la fille de Hendrickje et le beau-frère de Magdalena, François, tuteur de Titia, avec laquelle il se marierait des années plus tard et abandonnerait Amsterdam.

Le tableau capte une scène pleine de mouvements, comme il se doit dans un groupe humain aux âges et aux caractéristiques si différentes. En effet, les deux fillettes de la gauche semblent liées dans un jeu particulier ; la fille de Magdalena est également livrée à ses occupations, tandis que sa mère l'observe. Seule la figure masculine est face au spectateur, bien que son regard tourne légèrement vers la gauche, comme s'il était plongé dans ses propres pensées.

La lumière est également désordonnée, sans que l'on sache exactement d'où elle provienne, chaque visage semble avoir sa propre illumination. Mais le lien entre les membres de l'ensemble est évident, aussi bien thématiquement que plastiquement : ils sont unis par un équilibre, et en même temps, par un grand dynamisme, donné par le mouvement circulaire des deux figures, qui contraste avec le fond obscur. ■

Autoportrait aux mains jointes

1669
Huile sur toile
86 x 70,5 cm
National Gallery, Londres (Angleterre)

Il s'agit du dernier autoportrait de Rembrandt. Le geste de ses mains, qui donna son titre à ce tableau, reste ambigu. Est-ce l'attitude d'un homme en prière ou celle de celui qui vient d'achever une tâche ? En dépit du peu de traces écrites que Rembrandt laissa sur ses idées, ni même à travers de sa correspondance, tout laisse à penser que Rembrandt, fils de son pays et de son époque, plaçait plus ses espoirs dans le travail que dans la prière.

Quoi qu'il en soit, les mains unies constituent un détail significatif de l'autoportrait, puisque Rembrandt lui-même le fit remarquer dans le titre.

Curieusement, les formes restent floues et se mélangent avec l'arrière-plan, d'autant plus que les habits sombres rendent à peine perceptible la figure humaine. Seuls d'infimes éclats suggèrent le col du manteau et un bouton.

En effet, les ombres prédominent dans tout le tableau. Seule une lumière crépusculaire illumine le visage et, de manière presque exiguë, presque comme par un éclat lointain, les mains. Significativement, celles-ci sont étrangères aux contours. Dans une anticipation géniale de nombreuse plastique postérieure, voire « avant-gardiste », les doigts sont à peine visibles, comme si la signification de cet autoportrait dépassait ouvertement le figuratif.

Le galon blanc qui apparaît sous l'étrange bonnet ressort, mais seulement pour encadrer le visage. Si l'on masque la partie inférieure du visage, ressort un regard rempli d'une profonde tristesse. Si, au contraire, l'on recouvre la partie supérieure, un léger sourire semble s'esquisser sur les lèvres.

Le fait que cet autoportrait soit le dernier de l'artiste laisse inévitablement penser que les mains jointes ne symbolisent pas seulement le travail consommé, mais aussi la consommation de la vie. Peu de mois après avoir réalisé cet autoportrait, ce qui pourrait expliquer le regard fixe de l'artiste, Rembrandt mourut.

Après avoir été reconnu par ses contemporains comme le grand peintre d'Amsterdam, après s'être élevé socialement et avoir connu la prospérité économique et la gloire, Rembrandt se vit plongé dans la misère. Sa mort passa inaperçue pour presque tous. ■

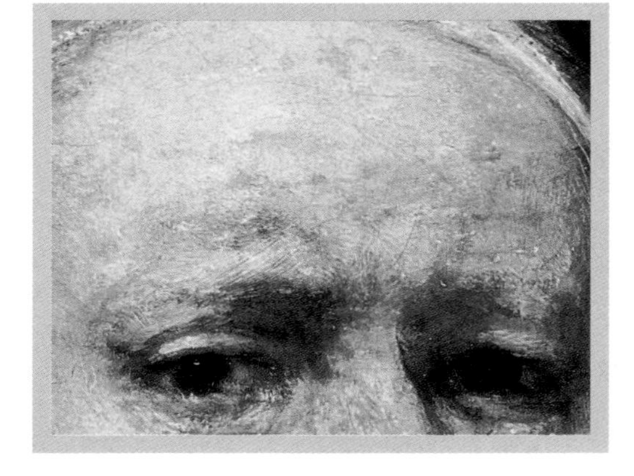

L'adieu définitif
Dans cet autoportrait, Rembrandt regarde fixement le spectateur. Il se trouve déjà au crépuscule de la vie et se prépare à partir définitivement. Il connut la gloire et, jusqu'à la fin, aussi la pauvreté. La peinture étant sa vie, son adieu est également fait de couleurs et de lignes. Dans ce tableau, la lumière est blafarde et brille seulement sur le front, où l'imaginaire abrite la pensée.

Informations pratiques

Rijksmuseum, Amsterdam (Pays-Bas)

L'œuvre de Rembrandt se trouve répartie dans divers musées du monde entier. Cependant, celui qui réunit le plus grand nombre de peintures, de gravures et de dessins de l'artiste est le Rijksmuseum d'Amsterdam. La Gemäldegalerie Staatliche Museen de Berlin (Allemagne), l'Ermitage de Saint-Pétersbourg (Russie) et le Metropolitan Museum of Art de New-York (États-Unis) détiennent également de nombreuses œuvres de Rembrandt.

Rijksmuseum
Jan Luijkenstraat 1
Amsterdam
Pays-Bas
Tél. +31 (0) 20 6747047

Horaires de visite
9h00 – 18h00, tous les jours ouvrables
9h00 - 22h00, le samedi et dimanche
Librairie : ouverte du mardi au dimanche de 11h00 à 16h00
L'accès au musée est interdit une demi-heure avant son heure de fermeture.

Autres musées présentant des œuvres de Rembrandt :

Gemäldegalerie, Staatliche Museen, Berlin
Matthäikirchplatz 4/6
10785 Berlin-Tiergarten
Berlin
Allemagne
Tél. 030 / 266 3660
www.kulturforum-berlin.com

Ermitage
34, Dvortsóvaya Plóshchad
190000, Saint-Pétersbourg
Russie
Tél. (812)110-90-79 34
www.hermitagemuseum.org

Metropolitan Museum of Art
1000 Fifth Avenue at 82nd Street
New York 10028-0198
États-Unis
Tél. 212-535-7710
Tél. (pour malentendants) 212-570-3828 o 212-650-2551
www.metmuseum.org